L'école, pour quoi faire ?

Collectif sous la direction de
Jean-Paul Desbiens

L'école, pour quoi faire ?

Les Éditions

LOGIQUES

Données de catalogage avant publication (Canada)

Jean-Paul Desbiens
   L'école, pour quoi faire ?
   (L'Agora)
   Comprend des réf. bibliogr.
   ISBN 2-89381-326-7
   1. Éducation - Québec (Province).   2. Enseignement, Systèmes d' - Québec (Province).
   3. Collèges d'enseignement général et professionnel.   I. Desbiens, Jean-Paul, 1927-   ,
   II. Collection: L'Agora (Montréal, Québec).

   LA418.Q8E35   1996   307',9714   C96-940033-0

Logiques est une maison d'édition agréée par les organismes d'État responsables de la culture
et des communications.

Révision linguistique : Roger Magini, Claude Herdhuin
Mise en pages : Martin Gascon
Graphisme de la couverture : Christian Campana
Photographie de l'auteur sur la page couverture : KEDL

Distribution au Canada :
Logidisque inc., 1225, rue de Condé, Montréal (Québec) H3K 2E4
Téléphone : (514) 933-2225 • Télécopieur : (514) 933-2182

Distribution en France :
Les Éditions LOGIQUES / Bureau de Paris, 110, rue du Bac, 75007 Paris
Téléphone : (33) 1 42 84 14 52 • Télécopieur : (33) 1 45 48 80 16

Distribution en Belgique :
Vander Éditeur, avenue des Volontaires, 321, 13-1150 Bruxelles
Téléphone : (32-2) 762-9804 • Télécopieur : (32-2) 762-0662

Distribution en Suisse :
Diffusion Transat s.a., route des Jeunes, 4 ter C.P. 125, 1211 Genève 26
Téléphone : (022) 342-7740 • Télécopieur : (022) 343-4646

Les Éditions LOGIQUES
1247, rue de Condé, Montréal (Québec) H3K 2E4
Téléphone : (514) 933-2225 • Télécopieur : (514) 933-3949

L'école, pour quoi faire ?

© Les Éditions LOGIQUES inc., 1996
Dépôt légal : Premier trimestre 1996
Bibliothèque nationale du Québec
Bibliothèque nationale du Canada

ISBN   2-89381- 326-7
LX-365

Sommaire

Présentation des auteurs 9

Avant-propos 13

La question des cégeps 15

La réforme des cégeps :
un rendez-vous manqué 27

De l'école 45

L'école en état de siège 63

Lettre au ministre de l'Éducation
de l'hiver prochain 79

L'école et l'emploi 87

La modernisation du système éducatif 95

Le rapport des Sept Sages 105

Le rapport de la Centrale de l'enseignement
du Québec 111

Conclusion 117

Post-scriptum 123

Présentation des auteurs

François Caron

Avant d'occuper, pendant six ans, un poste de gestionnaire municipal, M. François Caron fait carrière pendant plus de 30 ans dans le domaine de l'éducation. Il enseigne aux niveaux primaire, secondaire, collégial, de 1949 à 1960. Au terme d'un congé d'études de deux ans, il obtient une licence en philosophie à l'université Laval.

De 1962 à 1966, il est directeur de l'Académie de Québec (aujourd'hui le cégep de Sainte-Foy). En 1964, il est nommé membre du Conseil supérieur de l'éducation. En 1966, il accepte un poste d'enseignant à l'Université nationale du Rwanda.

De retour au Québec en 1968, M. Caron occupe les postes d'adjoint au directeur général puis de directeur des services de l'enseignement à la commission scolaire régionale du Golfe, avant d'être nommé directeur du collège régional de la Côte-Nord.

De 1972 à 1982, il est directeur général du cégep Édouard-Montpetit, à Longueuil. À ce moment-là, ce cégep comptait plus de 5 000 élèves réguliers et quelque 3 000 étudiants à l'éducation des adultes. C'est au cours de cette décennie que se réalisèrent l'agrandissement du campus de Longueuil, la construction de l'école d'aérotechnique à Saint-Hubert et un imposant centre sportif à Longueuil.

M. Caron a également occupé un poste de commissaire à la commission scolaire Mont-Fort, de 1976 à 1979.

Jean-Paul Desbiens

Jean-Paul Desbiens est né en 1927, à Métabetchouan, Lac-Saint-Jean. Après ses années de formation chez les Frères Maristes, il obtient le Brevet complémentaire de l'École normale en 1946. Frappé par la tuberculose, il est ensuite hospitalisé pendant près de sept ans.

Après trois ans d'études à l'université Laval, il obtient une licence en philosophie, en 1958. Il enseigne ensuite à Chicoutimi et à Alma. En 1960, il publie *Les insolences du Frère Untel.*

De 1961 à 1964, il étudie à Rome et à Fribourg (Suisse), où il obtient le doctorat en philosophie. Il est ensuite fonctionnaire au ministère de l'Éducation jusqu'en 1970, où il contribue, notamment, à la mise en place des cégeps.

De 1970, à 1972, il est éditorialiste en chef au journal *La Presse*. Il passe ensuite six ans à titre de directeur général du Campus Notre-Dame-de-Foy.

De 1978 à 1983, il exerce la fonction de provincial pour sa communauté au Saguenay-Lac-Saint-Jean. En 1984, il travaille au cégep de Saint-Foy, à titre de directeur du service de Recherche et Développement. De 1986 à 1990, il est de nouveau directeur général du Campus Notre-Dame-de-Foy.

Il collabore à divers journaux et revues, et prononce des centaines de conférences, au Québec, au Nouveau-Brunswick, en Ontario. Pendant cinq ans, il tient une chronique hebdomadaire au journal *La Presse*.

Il détient un doctorat honorifique en sciences de l'éducation de l'Université du Québec à Chicoutimi (1983) et de l'université de Sherbrooke (1987). En 1988, il est nommé chevalier de l'Ordre national du Québec.

Jean-Noël Tremblay

Né à Chicoutimi, en 1945. Après ses études au séminaire de Chicoutimi, il entreprend des études en anthropologie (baccalauréat et scolarité de maîtrise M.B.A.). Il est ensuite consultant-chercheur dans le domaine du développement régional en milieu amérindien. Spécialiste de l'anthropologie économique, il travaille à plusieurs projets dansles communautés amérindiennes du Québec, du Mexique, d'Amérique latine.

De 1978 à 1988, il est directeur général du cégep de Sainte-Foy où il travaille notamment à la réalisation de projets relatifs au développement culturel (fondation de la salle Albert-Rousseau) ; au développement des programmes d'études et de recherches (création de deux centres spécialisés dans la formation technique : l'un en foresterie, l'autre en informatique). Il s'engage également dans le domaine du développement international avec le Centre international de développement en éducation. Pour favoriser la recherche et le développement, il crée la Fondation du cégep de Sainte-Foy.

De 1988 à 1991, il entreprend des études et des recherches pour un doctorat à l'École des Hautes Études Commerciales, sur l'importance de l'imaginaire en gestion des organisations policières. La cérémonie de soutenance de son doctorat aura lieu en janvier 1996.

De 1991 à 1995, il est professeur de management à l'École nationale d'administration publique.

Depuis juin 1995, il occupe le poste de directeur général au Campus Notre-Dame-de-Foy, à Saint-Augustin-de-Desmaures.

Arthur Tremblay

Né à Saint-Bruno, Lac-Saint-Jean. Cofondateur, en 1941, de l'Institut d'orientation professionnelle, directeur adjoint de l'École de pédagogie, de 1945 à 1960, conseiller spécial du ministère de la Jeunesse du Québec, de 1960 à 1964, sous-ministre de l'Éducation, de 1964 à 1969.

Président directeur général de l'Office de planification et de développement (O.P.D.Q.), de 1969 à 1972, sous-ministre au ministère des Affaires intergouvernamentales, de 1971 à 1977.

Il accède au Sénat en 1979 dont il est retraité depuis le 18 juin 1992. Conseiller spécial du Premier ministre du Canada sur les affaires constitutionnelles et les relations fédérales-provinciales.

Il détient des doctorats honorifiques des principales universités canadiennes ; il est officier de l'Ordre du Canada. En 1991, il est nommé officier de l'Ordre national du Québec.

Avant-propos

Au printemps de 1992, Mme Lucienne Robillard, alors ministre de l'Enseignement supérieur et de la Science, annonçait une réforme radicale du niveau collégial. Durant l'été qui suivit, quelques personnes formèrent le projet d'intervenir dans le débat qui s'annonçait. Tels furent l'occasion et le noyau d'un groupe de réflexion qui devait publier six textes dans *La Presse*, entre décembre 1992 et juin 1994. Deux de ces textes portaient sur le niveau collégial ; trois, sur le niveau secondaire ; le dernier, sur l'école et l'emploi.

Les membres de ce groupe[1] n'avaient reçu aucun mandat de qui que ce soit. C'est leur intérêt pour *la question de l'école* qui les réunissait, et c'est leur expérience professionnelle qui pouvait fonder la pertinence de leur intervention. Tous les signataires, en effet, avaient œuvré à des titres divers à la mise en place et à l'administration de la réforme scolaire lancée au début de la Révolution tranquille.

Le groupe s'est donné des règles qui, pour élémentaires qu'elles sont, furent efficaces. Il fut donc entendu :

- que les discussions se feraient toujours à partir d'un document ;
- qu'après chaque séance de travail, quelqu'un préparerait un nouveau document tenant compte des discussions précédentes ;

---

1. François Caron, Jean-Paul Desbiens, Martin Desmeules, Arthur Tremblay, Jean-Noël Tremblay.

13

- que les textes seraient proposés à un quotidien; en cela, nous suivions le conseil de Sertillanges : « *Écrivant, il faut publier, dès que de bons juges vous en croient capables et que vous-même éprouvez l'aptitude du vol* ».[2]

Les projets de réforme que nous avons examinés et critiqués dans ces textes, même s'ils ont reçu un commencement de réalisation et une sanction légale, n'annulent ni la réflexion antérieure que nous avons menée ni un débat de fond à venir. Nous avons donc jugé utile de réunir les textes en question dans le présent volume en y ajoutant quelques remarques sur le *Rapport des Sept Sages*[3] publié à la fin juin 1994, de même que des commentaires sur l'étude publiée par la Centrale de l'enseignement du Québec, à l'occasion de son 34e Congrès[4]. Nous terminons par un *post-scriptum* qui tente de cerner l'actualité mouvante des États généraux.

---

2. Antoine-Dalmace Sertillanges, *La vie intellectuelle,* collection Foi vivante, Cerf, 1965, pp. 196-205.

3. Les Sept Sages de l'antiquité grecque s'appelaient : Bias de Priène, Chilon de Lacédémone,Cléobule de Lindos, Périandre de Corinthe, Pittacos de Mitylène, Solon d'Athènes, Thalès de Milet. On attribue à Bias la maxime **omnia mecum porto** (je porte tous mes biens avec moi), ce qui pourrait assez bien signifier le but ultime de l'école vis-à-vis de chaque élève : le rendre autonome.

Les Sept Sages québécois s'appellent Claude Corbo, Louis Daigneau, John Dinsmore, Fatima Houda-Pepin, Paul Inchauspé, Hélène Simard, Raymonde Touzin.

4. Jocelyn Berthelot, *Un horizon démocratique pour l'école et le collège, 1994.*

La question des cépeps[5]

> « *De toutes les facultés humaines, la mémoire paraît la plus ruinée par la Chute. Une preuve bien certaine de l'infirmité de notre mémoire, c'est notre ignorance de l'avenir.* » Léon Bloy

Donnons donc un peu de mémoire aux mémoires. Reportons-nous en décembre 1973. M. Yves Dubé, qui était alors doyen de la faculté des Sciences sociales de Laval, déclarait : « *L'enseignement des cégeps, un fiasco* ». Et il se demandait s'il ne fallait pas abolir les cégeps et recommencer avec autre chose. Vers le même moment, M. Pierre Grenier, doyen de la faculté des Sciences, affirmait « *que l'on forme dans les cégeps des gens comme au XVIIIᵉ siècle, capables de se présenter avec avantage dans les salons littéraires, mais incapables de faire face au monde réel* ». On peut se demander où M. Grenier prenait ses « *salons littéraires* » et surtout où il prenait ces « *gens formés comme au XVIIIᵉ siècle* ». N'importe ! Juste en dessous de la déclaration de M. Grenier (on est toujours en décembre 1973), M. Louis O'Neil disait que la « *formation en philosophie, en histoire et en français est déficiente* ». Le Dʳ Claude Fortier abondait dans le même sens.

Rapprochons-nous un peu. Les journaux du 26 mars 1992 titraient : « *Québec annonce un débat public sur le cégep* »

---

5. Article publié dans *La Presse*, les 2 et 3 décembre 1992, sous la signature de : François Caron, ex-directeur général du cégep Édouard-Montpetit ; Jean-Paul Desbiens, ex-directeur général du Campus Notre-Dame-de-Foy ; Martin Desmeules, ex-directeur des ressources humaines et financières à la Direction générale de l'enseignement collégial ; Jean-Noël Tremblay, ex-directeur général du cégep de Sainte-Foy.

(Le Devoir), « *Les cégeps remis en cause* » *(Le Soleil)*, « *Les cégeps seront soumis à une nouvelle commission Parent* » *(La Presse)*. Débat public, remise en cause. Les cégeps n'ont jamais connu autre chose, depuis leur création, en septembre 1967.

Il est prudent de se boucher les oreilles aux rumeurs du cocktail pédagogique qui tient lieu de réflexion organisée et responsable. Le propre du décadent, en effet, c'est de questionner toutes choses sans avoir la moindre volonté d'y changer quoi que ce soit. Il a, comme dit saint Paul, « *la maladie des recherches et des querelles de mots*. **Languens circa quæstiones :** il croupit autour des questions » (1 Tim 6,4).

La création des cégeps était une des recommandations majeures du *Rapport Parent*, publié en novembre 1964 (le *Rapport* suggérait l'appellation **Institut**). Le ministère de l'Éducation, pour sa part, s'était préparé à ouvrir sept cégeps pour l'automne 1967. Sous la pression de l'Opposition libérale, il y en eut douze. À Amos, durant l'été 1967, on brûlait en effigie Jean-Jacques Bertrand, alors ministre de l'Éducation, parce qu'on n'avait pas retenu cette ville dans le plan d'implantation. À l'automne 1968, il y avait 23 cégeps. Tout ça pour dire que la société voulait des cégeps. Et voilà qu'une Commission parlementaire interroge l'avenir des cégeps. La question posée peut se résumer ainsi : quelles sont la valeur et la pertinence de l'enseignement de niveau collégial ?

Quant à nous, nous dirons d'abord pourquoi nous intervenons dans ce débat ; nous porterons ensuite notre diagnostic ; nous proposerons quelques remèdes.

LES RAISONS DE NOTRE INTERVENTION

Avant tout examen du présumé malade, nous tenons à rappeler l'importance du débat. Il s'agit ici d'un niveau d'enseignement qui reçoit quelque 160 000 Québécois, jeunes et adultes, dont plus de la moitié sont des jeunes filles. C'est tout un paysage social qui a été ainsi changé. Ce niveau d'enseignement (la « *littérature* » ministérielle parle des **ordres** d'enseignement. Il faut bien se rendre utile !) fait le pont entre le niveau secondaire et le niveau universitaire, en ce qui concerne les programmes de formation générale ; entre le niveau secondaire et le marché du travail, en ce qui concerne la formation professionnelle de niveau technique.

Malgré les nombreuses et féroces remises en question dont il a été l'objet, le niveau collégial n'a guère changé. Cette fois-ci, nous assure la ministre, « *l'autopsie sera complète et sans merci* ». On veut croire que la ministre a commis un **lapsus**. D'ordinaire, en effet, on ne pratique une autopsie que sur un cadavre. Nous ne pensons pas que le niveau collégial soit un cadavre. Mais nous pensons qu'il a besoin d'un vigoureux traitement.

Libérés depuis quelques années de tout engagement contractuel envers l'une ou l'autre de ces institutions, c'est dans la perspective d'aider à la préparation des actions qui devront être prises pour redonner du sérieux à l'enseignement collégial que nous avons pensé apporter une contribution puisée dans une expérience intense et prolongée du niveau collégial.

Nous voulons proposer la relance de l'enseignement collégial dans ce qui constitue son essence même : *les programmes, l'enseignement, la sanction des études*. Nous voulons éviter de faire dévier le débat en réclamant, par exemple, une part accrue de financement. On ne règle rien en pelletant de l'argent dans un problème. Quand on sait que la Coordination (provinciale) des programmes coûte 27 millions de dollars par année et que ça lui prend dix ans pour se mordre la queue ! Et quand on sait ce que coûtent les négociations des conventions collectives, leur interprétation, leur « *grief action* », on a, de toute façon, une petite idée de l'endroit où l'on pourrait trouver du vieil argent pour en faire de l'argent neuf, comme on dit. Ce n'est quand même pas au lion syndical qu'il faut demander s'il a assez de moutons à manger !

LES PROGRAMMES

Commençons par casser les reins au mythe de la « difficulté de bâtir un programme d'études ». Bâtir un programme n'est pas une opération difficile, ni compliquée, ni longue, ni coûteuse. Ça devient long et compliqué quand on se met à vouloir *voter* le sexe du chat. Pour paraphraser Nietzsche, nous avons le goût de dire : « *Les lambins de la connaissance se figurent qu'elle exige de la lenteur* ». Traduisez : en l'absence de volonté politique, on fait des sondages et on négocie.

En ce qui concerne les programmes, il faut distinguer les programmes de formation professionnelle, les programmes préuniversitaires, la coordination des programmes avec les autres niveaux d'enseignement et avec le marché du travail.

Les programmes de formation professionnelle sont les mieux réussis. Disons la chose brièvement : c'est le secteur de la formation professionnelle qui est le mieux réussi au cégep. La raison en est simple : le jugement sur la valeur de la formation des élèves de ce secteur est immédiat. Il n'est pas différé *plus haut, plus loin*, comme c'est le cas pour le secteur de l'enseignement préuniversitaire. Dans le secteur de l'enseignement professionnel, il faudrait nettoyer une certaine prolifération des *voies de sortie*, comme on dit dans le jargon du milieu. Le diagnostic est posé depuis longtemps. Il s'agit d'avoir la volonté politique d'appliquer les remèdes bien connus des praticiens.

Ce sont les programmes préuniversitaires qui sont les plus lamentables. La cause générale de cette situation, c'est la corruption de l'idée de démocratisation de l'enseignement : le glissement de l'égalité des chances à l'égalité des résultats, à l'Université pour tous. La Centrale de l'enseignement du Québec a déjà soutenu que « *l'enfant a **droit** à l'intelligence* ».

Tiens ! Le mythe égalitariste est passé par là. Le secteur dit « *général* » a été transformé en un centre d'achats. Le prêt-à-porter pédagogique et sa doublure, la formation jetable, sont la loi de ce secteur. Il est urgent de faire un grand ménage dans cette poussière de cours, dans cette limaille de notions qui n'est aimantée par aucun champ magnétique.

Nous ne tomberons pas dans le piège qui consisterait à dresser une liste de cours obligatoires, concentrés, complémentaires. Nous affirmons simplement qu'il suffirait d'établir deux grands profils de formation préuniversitaire : un profil en **sciences pures** et un profil en **sciences humaines**. Chacun de ces deux profils pourrait se subdiviser en deux : dans la première catégorie, on trouverait les **sciences de la santé et les sciences pures et appliquées** ; dans la seconde, **l'administration et l'histoire**. Peut-être même qu'un seul « *profil* » suffirait. L'élève n'aurait pas besoin de deux semestres pour choisir son programme en se promenant avec sa liste d'épicerie[6].

LA FORMATION FONDAMENTALE

L'expression « *formation fondamentale* » est devenue la tarte à la crème des *gogues-logues*. Tant pis ! Il faut s'en occuper quand même. Nous nous contentons de dire ici que parler de formation fondamentale, c'est parler de rigueur intellectuelle, de maîtrise de la langue écrite et parlée, d'autonomie et de méthode de travail, de conscience historique et d'ouverture sur le monde. Et si l'on nous objecte que cela s'applique aux niveaux primaire, secondaire et universitaire, nous répondons que cela s'applique dès le berceau. Nous n'envisageons pas le monopole collégial de la formation fondamentale, mais nous disons que le niveau collégial pourrait être ce lieu privilégié de formation fondamentale : deux ou trois ans de grâce entre

---

6. Nous nous inspirons ici de la structure du programme du Baccalauréat international.

l'adolescence et l'entrée dans le monde adulte. Deux ou trois ans pour conforter les « *âmes désarmées* ».

En ce qui concerne la formatîon fondamentale donc, nous disons qu'elle doit être assurée dans les deux catégories de programmes. Le futur technicien participe de la même nature humaine que le futur médecin ou le futur ingénieur. Nous ne voulons pas de « *Polynésien téléphonant* », comme disait Alain. Les disciplines essentielles à la formation fondamentale sont la langue maternelle, la philosophie, l'histoire, la mathématique, les sciences. Nous ne disons pas que le cégep doit former des philosophes, des linguistes, des scientifiques, des historiens, des mathématiciens. La spécialisation, c'est la responsabilité de l'Université.

Précisons un point : toutes les disciplines plus haut mentionnées sont enseignées au niveau secondaire, sauf la philosophie. Nous disons donc, en autres, que la philosophie doit apparaître dans tous les programmes de niveau collégial. « *Entre les arts libéraux, commençons par l'art qui nous fait libres* » (Montaigne).

La coordination entre les niveaux d'enseignement est une fausse solution à un problème mal posé. De toute façon, c'est toujours le commis de bureau qui botte son chien parce qu'il a été botté par son *boss*. Si on se débat tant pour coordonner, c'est parce qu'on n'a rien ordonné. Quand on connaît le fond des choses, on n'a pas besoin de se réunir pour le chercher.

L'ENSEIGNEMENT

La compétence des professeurs au niveau collégial n'est nullement en cause. Les professeurs sont généralement compétents. On serait tenté de dire qu'ils le sont trop, mais ce serait une stupidité. On dit qu'ils sont dévalorisés, découragés par « *l'impréparation* » des élèves qui sortent du niveau secondaire. Il s'agit là de symptômes. Le mal est ailleurs. Le mal, c'est que les professeurs sont seuls. Ils donnent des cours atomisés et ils sont régis par une convention négociée à la troisième décimale. Ils sont **indéfinis**, pour avoir trop voulu se faire définir par des négociateurs patentés, les leurs et ceux du gouvernement. L'école, pourtant, c'est le contraire du négoce, comme le suggère l'étymologie du mot école.

De plus, on leur a soufflé l'École normale, qui était leur lieu de formation professionnelle et on l'a remplacée par les facultés des Sciences de l'éducation, dont personne ne connaît le nombre. On connaît par contre le nombre des programmes de formation dans les facultés des Sciences de l'éducation : il y en a plus de 400 ! Les professeurs se sont réfugiés dans les centrales syndicales, contrairement aux autres grands corps sociaux (médecins, avocats, ingénieurs, etc.) qui, eux, ont conservé leurs lieux professionnels respectifs. Les professeurs n'ont plus de « *lieu* » professionnel. Les facultés des Sciences de l'éducation ne sont guère autre chose qu'un lieu administratif.

On fait semblant de s'inquiéter du *problème des décrocheurs*. Les élèves décrochent parce que l'école ne les accroche pas. Le manque d'exigence engendre le mépris. La dévalorisation de son statut d'élève n'échappe pas à son observation sur le fonctionnement de l'école. Il sent très bien qu'il passe après les autobus, l'informatique et la troisième décimale des conventions collectives. Inconsciemment, il sent que lui, l'élève, ne fait plus partie du bien commun d'une société ; que trop d'intérêts particuliers profitent de sa présence dans l'école, en plus grand nombre possible. Il n'est plus le centre de l'univers, à un âge où la fierté des adultes devrait être tournée vers lui. L'enfant, par définition, veut sortir de l'enfance. On lui a donné tous les droits sans s'occuper de dégager sa grandeur, chose qui exige des contraintes. Mais quand on ne croit plus à rien, il est dur de se contraindre à contraindre. Il est plus facile de fêter *l'enfant roi*. Le roi client. Client des brasseries et des agences de voyage durant la *semaine de lecture*. Mais la semaine en question est *comptée*

dans les 82 jours semestriels. De plus, l'élève a droit à x %
d'absences. Sans oublier les trois flocons de neige qui suffisent
à fermer les écoles, dans ce pays de « *trente arpents de neige* ».

L'ÉVALUATION

Il y a longtemps que l'on fait le tour de ce problème. Plusieurs
centaines de milliers de dollars ont été dépensés pour produire
des rapports là-dessus. C'est tout ce que l'on voulait. Faire le
tour et ne jamais entrer. Notre proposition à ce sujet est fort
simple : il faut que l'évaluation soit commune, extérieure et
finale. *Commune* veut dire la même pour tous. *Extérieure* veut
dire extérieure au cégep et extérieure au ministère de l'Enseignement supérieur et de la Science[7]. Si l'évaluation est faite par
le cégep, on tombe fatalement dans la complaisance : quand on
court tout seul, on gagne toutes les courses. Si l'évaluation est
faite par le Ministère, la politique se met à *normaliser*.

Nous parlons d'une évaluation *finale*. Nous ne parlons pas
d'une évaluation par tranches. La formation n'est pas un
saucisson. Nous parlons donc d'un enseignement organisé en
séquences, d'un enseignement **et** d'un apprentissage cumu-
latifs. Disons-le très scolairement : nous parlons d'un
enseignement et d'un apprentissage qui supposent que les cours
101, 201, 301, 401 soient retenus. Nous disons retenus, au sens
où l'on dit qu'un arbre retient l'eau, l'air et la lumière. Cela
s'appelle croître. Cela s'appelle autorité, mot qui veut dire :
faire croître, accompagner la croissance.

BREF...

Nous avons décidé de ne pas parler des autres niveaux d'enseignement. Le Québec n'a pas les moyens de se payer une autre
réforme scolaire. Par ailleurs, l'industrie (improductive, mais

---

7. Redevenu, depuis, le ministère de l'Éducation.

payante) des colloques pédagogiques est fort répétitive, en plus d'être une distraction. Nous disons distraction au sens scolaire. Nous sommes persuadés qu'une réforme des cégeps, dans le sens que nous indiquons, aurait rapidement un effet d'entraînement sur les autres niveaux, notamment le niveau secondaire.

Notre proposition postule un changement profond des mentalités chez l'élève, chez le professeur, chez le gestionnaire.

L'élève devra relever un défi majeur d'ordre intellectuel. Il devra donner la priorité absolue à ses études et mobiliser toutes ses ressources en vue d'un objectif clair, connu et partagé par ceux qui sont là pour accompagner sa croissance intellectuelle et morale. Les jeunes ont peut-être une âme, sait-on jamais ? Qu'est-ce que l'homme ? Essayez de répondre, dans le secret de votre cœur. Vous n'en savez plus rien. Il y a pourtant une réponse quelque part. Sinon, vous pédalez pour rien, n'est-ce pas ?

Le professeur (nous aimerions pouvoir dire le maître, mais ce mot est tabou et nous sommes diplomates) devra se souvenir qu'enseigner, éduquer, est bien davantage qu'un emploi ; c'est un état. On ne cesse pas d'être *maître* en sortant de classe, comme un plombier cesse d'être plombier quand il rentre à la maison.

Le directeur, lui, cessant d'être un simple gestionnaire, devra renaître en quelque sorte ; abandonner son triste rôle de courroie de transmission entre le Ministère, la convention collective et trois psychologues. On parle du **droit** de gérance. La complicité des bureaucrates et des centrales syndicales en a laissé quelque part, quelques centimètres carrés. La gérance n'est pas un droit, c'est un devoir. C'est par mollesse que nous disons gérance. Nous voulons dire **direction**. Il est terriblement réducteur de ne plus parler que de *gérance* et de *clientèle*. Une école doit être dirigée.

La triple alliance des bureaucrates, des politiciens et des centrales syndicales a *détourné* l'école de sa fin. La fin de l'école, c'est l'éducation de *l'intelligence* et de *l'âme*.

À propos de *l'intelligence*, il est bien difficile de défoncer la définition de Jean-Claude Milner : « *Parler d'école, c'est parler de quatre choses : 1) des savoirs ; 2) des savoirs transmissibles ; 3) des spécialistes chargés de transmettre des savoirs ; 4) d'une institution reconnue, ayant pour fonction de mettre en présence, d'une manière réglée, les spécialistes qui transmettent et les sujets à qui l'on transmet* »[8].

Quant à *l'âme*, on est dans l'ineffable. Ineffable : le mot le dit, n'est pas objet d'enseignement. Il est objet d'éducation. On n'enseigne pas l'amour, même si le gouvernement prétend que « *l'amour, ça se protège* ». Ils ont dû bien s'amuser, les communicateurs ministériels qui ont pondu ce slogan. La protection de l'amour, ça se trouve en quatre couleurs, le long de l'autoroute Jean-Lesage et autres brasseries ou hôtels haut de gamme. Mais il paraît que ça manque dans les garderies. Pardon ! dans les établissements préposés aux services de garde. Une gardienne d'enfants ? Pensez donc ! Après trois ans dans **l'ordre collégial** !

L'État a le devoir de fixer le niveau et la durée des études. Mais il doit retirer ses grosses pattes des contenus et des méthodes d'enseignement. Par contre, il doit s'assurer que l'évaluation se fait. Parlant de durée (et c'est bien tout ce que nous dirons ayant trait au financement), nous ajoutons ceci : la durée des études collégiales doit être limitée. Le temps requis pour obtenir un diplôme doit être de quatre ou six semestres, selon les catégories de programmes. Ceux qui auraient besoin de cinq ou sept semestres pourraient poursuivre leurs études collégiales sans pénalité. Au-delà de cette tolérance, ils devraient être soumis aux mêmes conditions que les adultes, c'est-à-dire payer des droits de scolarité.

La mise en place, la mise en vigueur de la réforme que nous souhaitons ne doit pas dépasser deux ans. Sinon l'opinion

---

8. *De l'école*, Seuil, 1984.

publique sera passée à autre chose et le gouvernement aussi. Et ceux qui veulent sauver leur steak auront trouvé quelque glorieux moyen de le faire. Au nom de la *qualité de l'enseignement*, par exemple.

Nous aurions le droit d'être soupçonneux et de penser que la Commission parlementaire est un écran de paroles, une distraction démocratique. Laissons nos soupçons comploter tout seuls.

Nous ne finirons pas le petit devoir scolaire que nous nous sommes imposé sans dire qu'il est complètement futile d'imaginer quelque réforme un peu significative (et peu importe **l'ordre d'enseignement**, comme dit le jargon ministériel), si l'on ne sort pas la pédagogie de la prison des conventions collectives de travail. La dignité professionnelle des maîtres l'exige, le respect des jeunes, également.

L'école n'appartient ni à l'Église, ni à la famille, ni à l'État, ni aux centrales syndicales. L'école appartient à la société. L'État doit la rendre commune, disait déjà Aristote, mais il n'a pas le droit d'en faire son monopole. La production et la distribution du pain est un besoin commun et donc, un service public. On n'a pas besoin pour autant d'un État boulanger.

La réforme des Cégeps : un rendez-vous manqué[9]

Notre nouvelle intervention est *pertinace*. Nous ne disons pas *pertinente*, car nous savons qu'elle est impertinente. Nous disons *pertinace*, ce qui veut dire opiniâtre. Notre lecteur privilégié se souviendra, en effet, que les 2 et 3 décembre dernier, quelques jours avant la fin des travaux de la Commission parlementaire, *La Presse* avait publié notre opinion sur *La question des cégeps*.

Le 6 avril, la ministre Lucienne Robillard présentait en bloc ce qui avait été débité en détail, de fuites en ballons d'essai, depuis un mois. Nous examinons aujourd'hui la cure prescrite au patient. Nous reprenons les divisions que nous avions adoptées dans notre premier texte. Nous parlions de programmes, de formation fondamentale, de sanction des études.

UN RENDEZ-VOUS MANQUÉ

En l'espace de trois ou quatre ans, l'opinion publique avait été saisie de plusieurs jugements sur les cégeps. Il y avait eu :

- La publication du premier « *Palmarès des cégeps* », par la revue *L'Actualité* ;
- L'aveu de M. Claude Ryan à l'effet que le ministre de toutes les éducations « *signe les diplômes des cégépiens, comme on signe un chèque en blanc* » ;
- L'imposition, par les Universités, d'un examen de français.

---

9. François Caron, Jean-Paul Desbiens, Martin Desmeules, Jean-Noël Tremblay. Article publié les 13, 14 et 15 mai 1993.

Là-dessus, la ministre annonce « *une autopsie complète, un examen sans merci, où tout serait mis sur la table* ». Puis, ce fut la Commission parlementaire de l'automne dernier.

Une fois l'écran de fumée dissipé, on voit que la montagne des mémoires, des rapports des Conseils, des déclarations politiques, accouche d'un surmulot. Aucun diagnostic global, aucun rappel clair de la fin des cégeps, aucune vision inspiratrice. On est demeuré assis dans le *parce que*, dans le *comment*. Certes, le projet ministériel confirme l'existence du niveau collégial. Le patient n'est pas expédié à la morgue, mais pour l'essentiel, la réforme est une opération cosmétique. En paraphrasant Bruno Hébert, nous dirions que « *l'on cède au pragmatisme galopant ; on évite le débat de fond, le **pourquoi-faire** ; on se rabat sur le discours technique, **le comment-faire**. Discours d'ajournement* »[10].

Quand on décrit un niveau d'enseignement en termes de *valeur ajoutée*, de *train de mondialisation*, d'*ordre mondial axé sur la connaissance et l'innovation technologique*, on est davantage inspiré par *le Québec inc.* que par le souci de former des êtres pour eux-mêmes et non pas en vue du XXIe siècle. L'horizon de l'indéfini a remplacé l'éternité. De toute façon, les *siècles* ne commencent pas à 00h01, un certain 1er janvier. Le XXIe siècle a commencé en 1989, le jour où le mur de Berlin s'est écroulé.

Les arrangements envisagés par la ministre sont tout au plus des aménagements qui relèvent de la mécanique en ce qui a trait aux programmes et à l'administration financière des collèges. La formation fondamentale, celle qui amène l'élève à prendre en main ses études afin de devenir un être plus libre et plus heureux de vivre au présent, celle qui force les institutions à se tourner vers l'élève plutôt que vers l'administration de l'élève, cette vision de l'école ne fait pas partie des

---

10. *Éloge de l'éducation*, éditions Paulines, 1993.

préoccupations ministérielles d'une école que l'on prétend *amarrer* au XXIe siècle.

En ce qui a trait aux programmes, la réforme, au lieu de faire le ménage qui s'imposait, notamment dans le secteur préuniversitaire, désarticule le programme de philosophie, saupoudre les autres de quelques heures de français et d'anglais supplémentaires et supprime le cours de *pêche à la mouche II*.

En ce qui touche la formation fondamentale, la réforme l'ébranle davantage, s'il est possible, notamment en charcutant le programme de philosophie. L'expression *formation fondamentale* n'est même pas retenue. Elle retourne dans les limbes des slogans ministériels successifs. Pendant deux ou trois ans, ce slogan avait fait les délices de tous les Conseils et le pensum de braves petites équipes dans la plupart des cégeps, sans parler des colloques.

En ce qui touche la sanction des études, la réforme propose trois commissaires. Trois Super Inspecteurs !

En ce qui touche la prison des conventions collectives de travail, qui verrouillent l'enseignement, la réforme s'empresse de leur présenter les respects de la ministre.

En ce qui touche le calendrier scolaire, la réforme est muette.

Enfin, la réforme a réussi à déformer une idée valide (le *ticket accélérateur*) en une distraction de cirque étudiant, sans se douter que les cinq *échecs* seront bientôt réclamés à titre de droits acquis dans la *culture* où baigne déjà *le droit d'absence aux cours*.

LES PRÉALABLES DE TOUTE RÉFORME

Nous allons reprendre chacun de ces points. Mais, auparavant, disons un mot de ce que l'on pourrait appeler les préalables à toute réforme.

L'accessibilité au collégial

La *réforme* fait sien l'avis du Conseil supérieur de l'éducation selon lequel 70 % des Québécois devront avoir l'espérance d'accéder (exemple parfait de langue de bois !), avant l'âge de 20 ans, au niveau collégial. De ce nombre, la moitié dans le secteur technique, l'autre moitié, dans le secteur pré-universitaire.

Après *l'espérance d'accès au cégep*, on a droit à *l'espérance d'accès au diplôme*. L'objectif pour l'an 2000 est fixé à 60 %. Il s'agit là d'un objectif quantitatif. Nous serions malvenus de vouloir en rabattre. « *Vienne le jour où tous les citoyens seront prophètes* », comme dirait Moïse ! (*Nombres*, 11, 29).

Les diplômes, c'est comme la monnaie : la mauvaise chasse la bonne. On ne peut pas gonfler indéfiniment les taux de scolarisation et de diplômation au nom de la démocratie ou du XXIe siècle.

La ministre a beau dire que « *les formes connues de l'élitisme sont devenues impraticables* », il demeure que l'égalitarisme est une perversion de l'idéal démocratique[11].

Il ne suffit pas de rabaisser le niveau d'exigence des programmes et de *normaliser* la sanction des études pour satisfaire les statistiques. Pour un niveau donné, un diplôme de fin d'études doit être terminal de par sa nature. Il ne doit donc pas être converti en laissez-passer pour l'ensemble du territoire scolaire.

Soit dit en passant, on voit mal comment les recommandations, les briques de recommandations des divers Conseils peuvent aider en quoi que ce soit un homme politique.

---

11. L'école de la permissivité et de l'égalitarisme a engendré une forme d'élitisme « à l'envers » qui isole 40 % de décrocheurs. « *If we continue to ask little of our students, we will continue to get what we ask for. Some people argue that raising academic standards and expectation is elitist. But which system is more elitist - one that expects high achievement of only a small group of students or one that expects it of most ? The system we have now only challenges a smal group of top students and consigns the rest to mediocrity.* » (Albert Shanker, *The New Republic*, 26 juin 1995).

Le mot homme est un épicène. L'homme politique doit prendre action. Comment dégager une action, **une seule**, de ces briques écrites en langue de bois ?

Fernand Dumont rappelait récemment que « *l'on consacre des ressources énormes au secondaire, au cégep, à l'université, puis on cède à l'illusion que les choses semblent aller bien parce qu'il y a pas mal de monde dans les universités. (...) Nous faisons de la fausse scolarisation* » (Revue *Forces*, # 92, hiver 1991).

La norme de la mathématique

Le document ministériel parle de « *formes connues de l'élitisme, devenues impraticables* ». Il existe néanmoins une forme occulte d'élitisme, c'est l'utilisation de la mathématique pour le choix des meilleurs. Faute d'avoir le courage de rappeler le **fait** de l'inégalité des aptitudes et d'en tirer les conséquences, on a trafiqué l'ensemble du système scolaire, à coup de mensonges maquillés en compassion, à coup de normalisation des résultats d'examens quand il y en avait, à coup de slogans saignants. En fait, on a utilisé la mathématique pour opérer la fatale discrimination des aptitudes, accréditant du même coup l'idée que l'on est un raté si l'on n'est pas estampillé par l'Université.

Écoutons ici un observateur étranger au marais pédagogique québécoisé. « *Il y aurait beaucoup à dire sur le singulier rôle compensateur, sur l'espèce de fonction d'antidote interne que la promotion de la norme mathématique et scientifique a silencieusement rempli par rapport au déploiement ostensible, occupant apparemment toute la place, des pédagogies de l'émancipation individuelle. Pendant que, d'un côté, l'on s'attache à cultiver la spontanéité des individus, pendant que l'on encourage l'expression de leur singularité, que l'on s'efforce de donner à chacun voix au chapitre dans le respect de principe de la diversité des opinions et des points de vue, se met, d'autre part, en place comme discipline-étalon, la discipline la plus implacablement normative qui soit.* »[12]

Nous croyons savoir que l'apprentissage de la mathématique est une exigence de la formation fondamentale. Mais la mathématique est devenue, à toutes fins utiles, un entonnoir d'où ne sortent que les meilleurs. Les autres se réfugient dans les programmes des sciences humaines ou autres, réputés plus accommodants. La rumeur panique fait le reste. Dès la 3ᵉ secondaire, l'élève qui vise l'université ou dont les parents la visent pour lui, est obligé de savoir s'il voudra être médecin, ingénieur ou professeur, non pas même pour entrer au cégep, mais au sortir de l'Université. Et voilà pourquoi il faut des sessions d'accueil au cégep et des examens d'admission en français pour entrer à l'Université.

LA RÉFORME POSSIBLE ET SOUHAITABLE

Les programmes

Nous disons d'abord que l'État a la responsabilité de fixer le niveau et la durée des apprentissages. Quand nous disons niveau, nous entendons un certain découpage dans un champ de connaissance, qu'il s'agisse de langue, d'histoire, de mathématique, de sciences, de philosophie. Quand nous disons État, nous n'entendons évidemment pas que ce travail de *découpage* doive être fait dans des bureaux de fonctionnaires. Il doit y avoir consultation des professeurs et coordination entre les deux niveaux contigus d'enseignement et le monde du travail. Mais une consultation n'est pas une négociation. Nous maintenons qu'il faut casser les reins au mythe de la difficulté de bâtir un programme scolaire. Il y a difficulté, il y a impasse quand on se met à vouloir *voter* le sexe du chat autour d'une table provinciale ou entre deux niveaux d'enseignement.

---

12. *L'école à l'école d'elle-même*, revue *Le Débat*, novembre 1985.

Nous ferez-vous accroire qu'il est difficile de déterminer le niveau d'apprentissage du français qui doit être atteint à la fin du secondaire et, par voie de récurrence, le niveau qui doit être atteint à la fin du primaire ?

Pour le secteur préuniversitaire, les programmes devraient être ramenés à deux profils : un profil en sciences pures et appliquées et un profil en sciences humaines.

Pour le secteur technique, les profils doivent être davantage diversifiés. Il ne nous revient pas d'établir ici les catégories de programmes requis. Nous rappelons cependant que lors des audiences de la Commission parlementaire, les représentants du marché du travail réclamaient, eux aussi, une assiette plus large de formation générale. À peu qu'ils ne parlassent de formation fondamentale !

Il va sans dire qu'il faudra affranchir les programmes des préalables exigés par les universités et notamment de la distorsion opérée par la mathématique.

La formation fondamentale

Dans son rapport de l'année 1986-1987, le Conseil des collèges disait : « *La notion de formation fondamentale a besoin d'être précisée (...) pour identifier le rôle de l'ordre collégial dans la formation du citoyen québécois et pour donner aux enseignants, par l'intermédiaire des objectifs de programmes, des guides sûrs, précis et opérationnels sur les buts à atteindre et sur les exigences à maintenir dans l'enseignement collégial* ». Nous sommes sept ans plus tard.

La formation fondamentale n'est pas une discipline d'enseignement ni même un groupe de disciplines. Nous dirions qu'elle est une *mentalité*, une préoccupation toujours agissante. Et même si c'est l'élève qui est l'agent principal de sa formation, c'est au maître qu'il revient de saisir et de faire valoir les occasions de la dégager, au sens où l'ont dit que le sculpteur dégage une forme.

En raison de leur nature, la langue maternelle et la philosophie sont des instruments privilégiés de formation fondamentale. Autrement dit, si ces deux disciplines perdaient leur caractère commun et obligatoire, quelle raison y aurait-il de maintenir les cégeps tels qu'ils ont été conçus et tels que l'on prétend vouloir en *refaire le choix*, selon l'expression de la ministre ?

Le cas du français

Le cas du français au collégial est aussi pathétique que celui de la philosophie. Faut-il rappeler que la Coordination provinciale a mis dix ans pour finir par se mordre la queue ? Faut-il rappeler la série d'articles de Lysianne Gagnon, publiés dans *La Presse*, en 1975 sous le titre *Le drame de l'enseignement du français* ? Ou ceux, tout récents, de Michèle Ouimet, dans *La Presse* encore ? Comment expliquer que des journalistes puissent monter des dossiers aussi accablants et aussi inattaquables et que le ministère de l'Éducation n'ait pas trouvé moyen de redresser la situation ? On ne parle pas de la semaine dernière. On parle de cris d'alarme poussés il y a près de 20 ans ! Et comment se fait-il que les corps professoraux n'aient pas pris la situation en main eux-mêmes ? La seule mesure qui semble avoir porté quelque fruit, c'est celle que les universités ont prise en imposant un examen d'admission en français.

On sait que cet examen a été ramené au niveau collégial, à compter de cette année. Mais les méninges en bouillie qui ont concocté l'examen et les critères dits de correction, autorisent les journalistes à verser un pleur de crocodile hilare sur la pauvre petite qui rate son université pour une virgule. On sait pourtant que « *pour un point, Martin perdit son abbaye* », comme dit le proverbe !

On n'a pas idée de l'effet de redressement qu'aurait un examen de français avant l'admission au cégep. On passe son temps à dire et à écrire que la langue est la clé de tout et on

34

n'est pas foutu d'en exiger la maîtrise minimale. Une dictée de 23 lignes (250 à 300 mots), tirée de n'importe quel auteur classique, suffirait à évaluer les étudiants. Faites ça deux ans de suite, déclarez inapte quiconque aurait plus de cinq fautes, mais faites-le pour de vrai, et la partie est gagnée. Le secondaire aura compris.

Le cas de la philosophie

Le cas de la philosophie peut paraître plus difficile que celui du français, parce que la grammaire, la syntaxe et l'histoire de la littérature constituent un corpus de connaissance au sujet duquel il existe un consensus objectif, tandis qu'en philosophie, il existe des courants de pensée, des *écoles* exclusives l'une de l'autre. Valéry disait bien que « *si les artistes se disputent le rang, les philosophes se disputent l'existence* ». Et alors, quoi faire ? D'une part, personne ne veut d'un État philosophe qui imposerait sa philosophie. Par ailleurs, il est impossible de retourner à un enseignement monolithique. Sera-t-on kantien, thomiste, hégélien, foucaldien ?

Pour sortir de ce dilemme, il faut s'entendre justement sur le niveau et l'étendue du domaine qu'il convient de déterminer quand il est question de philosophie. Il y a moyen de déterminer quelques grands thèmes ou sujets ou problèmes qui font depuis toujours l'objet de la réflexion philosophique et d'en faire un programme. Les quatre divisions qui ont été choisies et maintenues jusqu'à maintenant se défendent assez bien. Elles auraient besoin d'être refermées, précisées davantage, mais enfin, elles couvrent les grands champs d'une initiation à cette discipline.

En vérité, il ne s'agit pas d'initier à une discipline qu'un très petit nombre seulement d'élèves choisiront d'approfondir à l'Université, il s'agit de leur révéler l'existence d'un vaste univers au-delà du petit monde qu'ils connaissent. Il s'agit de fournir aux élèves quelques clés pour pénétrer dans les problèmes qu'affronte l'esprit de l'homme, depuis qu'il est homme. Ces problèmes, comme dit Jean Guitton, « *ne sont pas en grand nombre, ni davantage les solutions qu'on y fournit* ». Si l'on pense à la logique, par exemple, il n'est pas indifférent de distinguer une bonne fois entre opinion, évidence, certitude, vérité. Il n'est pas indifférent non plus de maîtriser quelques éléments de la critique des sciences. Il n'est pas indifférent d'avoir eu l'occasion de réfléchir, d'une façon organisée, sur le problème de la liberté, du mal, de l'amour.

Ce qui a manqué et ce qui a ouvert la porte à beaucoup d'excès, c'est qu'il n'y a jamais eu aucune évaluation sérieuse des apprentissages proposés. À toutes fins utiles et inutiles, chaque professeur a été laissé libre de faire ce qu'il voulait à l'intérieur de cet espace pédagogique qui lui avait été remis comme une réserve indienne. Si la philosophie a toujours été si mal reçue au collégial, c'est en bonne partie parce que les élèves ont trop souvent eu l'impression de ne rien apprendre durant ces cours et, au fond, d'avoir été méprisés. Beaucoup de ces élèves occupent maintenant des positions de décideurs dans la société. Il ne faut pas s'étonner qu'ils ne soient pas des défenseurs ardents de la philosophie.

Il faut maintenir le caractère obligatoire de la philosophie et ce, pour les deux grandes catégories de programmes : les programmes de formation du secteur technique et les programmes préuniversitaires. Par contre, il faudrait que l'enseignement de cette discipline soit adapté aux différents groupes. On ne peut pas enseigner les mêmes contenus, de la même manière, à des esprits davantage portés aux études théoriques et à des esprits davantage tournés vers les apprentissages pratiques. Aussi bien, si les cégeps sont et doivent être hétérogènes, les classes, elles, doivent être le plus homogènes possible.

Le *Rapport Parent* avait recommandé des cours de philosophie obligatoires pour tous les élèves. Dans les faits, quatre cours ont été retenus. La réforme aurait dû confirmer l'enseignement de cette discipline qui a toujours fait partie de notre patrimoine culturel pour ce niveau d'étude, et dont on ne peut nier l'importance dans la formation fondamentale. Au lieu de cela, la réforme désarticule un programme qui avait fini par s'imposer.

Contrairement à ce qu'ont pu écrire certains professeurs de philosophie, ce n'est pas la peur de la *libre pensée* qui a amené la ministre à désarticuler le programme existant, c'est bien plutôt l'absence d'une vision claire et ferme sur les fins du collégial.

Le cas de l'éducation physique

Au sujet de l'éducation physique, rappelons qu'au moment de la création des cégeps, ce fut une bonne décision de placer l'éducation physique au nombre des cours obligatoires. Cela a permis de doter les cégeps d'un corps professoral respectable et d'équipements imposants ; cela a aussi contribué à une prise de conscience collective de l'importance du soin du corps.

Mais il faut aller plus loin. Il faut reconnaître que la dimension corporelle est une constituante essentielle de la formation fondamentale. À cause même du sujet auquel elle s'applique (le corps humain dans l'objectivité de sa présence), c'est les professeurs d'éducation physique qui ont le mieux résisté aux modes pédagogiques, à la tyrannie du **vécu**, à la complaisance de la non-directivité. Les muscles sont le siège de la vérité et d'abord, de cette vérité, qu'un long entraînement est nécessaire pour exceller. Dans ce domaine, cette vérité ne peut pas être masquée par des prétextes, des théories, des illusions. Dans les autres domaines, la sanction peut être différée et, en attendant, on peut faire accroire que l'improvisation tient lieu d'entraînement.

Faut-il que les cours d'éducation physique fassent partie des activités comptabilisées au plan pédagogique ? Nous ne le pensons pas. Que l'horaire octroie une place à l'éducation physique et que certaines activités soient obligatoires, cela va

37

de soi. Dans les limites qui sont les siennes, l'école est responsable de la formation fondamentale, et l'éducation physique en est une constituante. Mais l'école n'est pas tenue de former des athlètes, ni d'assurer l'enseignement du dernier gourou anti-stress. La pratique du sport et même du sport de compétition, peut très bien s'organiser sur une base facultative et sans la contribution de l'argent public.

Enfin, il faut tenir compte du fait que la société (gouvernement, municipalité, organismes publics ou privés de toutes sortes) a pris le relais de l'école en ce qui a trait à la santé. L'obsession de la santé est même le seul consensus qui nous reste. Les États, les compagnies d'assurances, les supermarchés, veulent notre santé comme c'est pas possible.

Le cas de la langue seconde

La formation fondamentale exige la maîtrise d'une langue seconde. Et d'abord de l'anglais. Cette maîtrise devrait être assurée à la fin du secondaire en ce qui concerne la capacité de lire, d'écrire et de comprendre l'anglais. Pour les cégeps anglophones, la langue seconde doit être le français d'abord.

En attendant que le secondaire s'ajuste à ces exigences, il faudrait prévoir deux catégories de cours d'anglais (ou de français), langue seconde : a) des cours de mise à niveau et b) des cours avancés (composition, littérature). Il va de soi que des cours d'espagnol, d'allemand, de russe, etc., doivent être offerts à titre optionnel.

LA SANCTION DES ÉTUDES

L'évaluation doit être **commune, extérieure et finale**. **Commune**, c'est-à-dire la même pour tous, pour un même programme ou une même discipline. L'évaluation doit être **extérieure** au ministère de l'Éducation et extérieure aux collèges. Si elle est faite par le ministère, la politique *normalise*, si elle est faite par les collèges, on glisse dans la *complaisance* : quand on court tout seul, on gagne toutes les courses. Ou bien, on normalise à son tour pour s'assurer une clientèle départementale. L'évaluation doit être **finale**, c'est-à-dire qu'elle doit sanctionner la synthèse des apprentissages. Nous parlons d'enseignement et d'apprentissage qui supposent, disons-le très scolairement, que les cours 101, 201, 301 et 401 sont retenus. Nous disons retenus au sens où l'on dit qu'un arbre retient l'eau, l'air et la lumière. Cela s'appelle croître. Cela s'appelle autorité, mot qui veut dire : faire croître, accompagner la croissance. La formation intellectuelle n'est pas un saucisson qu'on débite en tranches.

Nous parlons d'évaluation en vue de la sanction des études. Évaluer, c'est juger et juger, c'est porter une sentence. « *L'école sans échecs, c'est l'échec de l'école* » (Milner). Dire cela, c'est ouvrir les cœurs saignants et blouser les décideurs des taux de scolarisation. N'importe !

Les conventions collectives de travail

Nous répétons ce que nous disions en décembre dernier : aucune réforme n'est possible si l'on ne libère pas la pédagogie de la prison des conventions collectives de travail. La culture de la troisième décimale, l'enfermement dans la mentalité négociatrice, mènent à Charlettetown, en pédagogie comme en politique. Pourquoi la ministre s'est-elle empressée de dire que tout se passerait dans le respect des conventions collectives ?

Si l'on avait la volonté politique de sortir de la culture des négociations, telle qu'on l'entretient depuis un quart de siècle, on irait chercher des dizaines de millions de dollars qui ne servent présentement qu'à faire vivre les négociateurs patentés et les équipes de spécialistes chargés d'interpréter, de contourner, d'épaissir à chaque ronde les recueils des dispositions et des traquenards concoctés nuitamment tous les trois ans et, entre-temps, à alimenter l'industrie des griefs.

Le ticket accélérateur

Nous pensons qu'il y a une limite à la gratuité des études parce qu'il y a une limite aux ressources fiscales de l'État. Dans une vraie réforme, où l'État aurait décidé d'assumer ses responsabilités, notamment en faisant le ménage dans l'éparpillement des programmes, en établissant des standards de performance et des niveaux de connaissance à atteindre, en établissant un système d'évaluation crédible, bref, en assurant les conditions essentielles à la réussite des études d'un élève moyen, nous pensons qu'on peut demander à cet élève de compléter un cycle d'études dont la durée normale est de quatre (ou de six) sessions, tout en lui allouant un maximum de cinq (ou sept) sessions, selon le cas.

Le ticket accélérateur est une contrefaçon de cette exigence. En instaurant une telle mesure, la ministre fait porter le poids de sa *réforme* sur les seuls élèves. Personne d'autre, en effet, à l'intérieur du système, n'est appelé à contribuer significativement à ce qu'elle appelle un *renouveau en profondeur*. Les élèves ne sont pas, et de loin, les seuls responsables du grand dérapage de ce niveau d'enseignement. Ils en sont bien davantage les victimes même s'ils en sont des victimes consentantes. Avant le *quart d'heure de Rabelais*, on est toujours hilare. C'est au moment de l'addition qu'on *attrape la face longue*. La vie présente toujours l'addition.

De plus, telle qu'envisagée, la mesure du ticket accélérateur est purement punitive à l'égard des plus faibles même si l'on admet que parmi ces plus faibles, il y a une bonne cohorte de paresseux. On aurait dû donner à cette mesure un caractère incitatif en instaurant, au lieu d'un ticket accélérateur, un *bon de gratuité* offert à tout élève inscrit à temps complet dans un cégep. Dans cette perspective, chaque échec *coûterait un bon de gratuité*. Les *bons épargnés* garderaient leur valeur d'échange lors de l'inscription dans toute université du Québec.

Le calendrier scolaire

L'examen du calendrier scolaire actuel des cégeps révèle que le temps d'enseignement réel dans les cégeps est parmi les plus courts au monde, pour ce niveau d'études. En effet, le temps réel d'enseignement dans les cégeps n'est pas de 82 jours, qui est la durée officielle d'une session, il est plutôt de 70 jours, une fois éliminés les deux jours d'accueil ou de mise en marche ou de tempête appréhendée, la semaine de relâche à la mi-session (glorieusement appelée semaine de lecture) et la dernière semaine effilochée au gré de quelques examens. Au total donc, une année scolaire de 140 jours, soit 28 semaines.

Pour nous rapprocher d'une situation plus normale, on pourrait très bien concevoir un calendrier scolaire étalé sur trois trimestres, comme l'illustre le tableau suivant, appliqué aux secteurs préuniversitaires :

Durée des études	2 ans
Nombre des sessions par année	3
Durée d'une session	13 semaines (incluant 1 semaine d'examens du collège)

Selon ce calendrier, voici comment se présenterait l'AN I :

Première session	16 août-12 novembre (15-19 novembre : relâche)
Deuxième session	22 novembre-24 décembre 3 janvier-25 février (28 février-4 mars : relâche)
Troisième session	7 mars-3 juin (6-10 juin : relâche) 13-17 juin : examens communs

Ce nouveau calendrier comporterait trente-six semaines d'enseignement par année (contre vingt-huit présentement). Un gain net de huit semaines. Cela devrait intéresser au plus haut point, non seulement ceux qui attachent de l'importance à la formation des jeunes cégépiens, mais aussi tous ceux qui se disent consternés par les coûts des services éducatifs, et, par-dessus le marché, ceux qui désarticulent les programmes de français ou de philosophie, pour pouvoir loger un cours d'informatique ou d'anglais de plus.

Nous sommes conscients que notre calendrier bouscule le droit au travail étudiant. Nous pensons en effet que l'élève doit donner la priorité absolue à ses études. Réduire par tous les bouts le temps consacré aux études, c'est rendre un mauvais service à l'élève. La réduction des heures de travail peut très bien être un objectif quand il s'agit du travail qui porte sur la construction de ce qui est extérieur à soi, mais quand il s'agit de la construction de soi-même par soi-même (après tout, le mot instruction signifie construire à l'intérieur), réduire le temps qu'on doit y mettre, c'est réduire son être même. C'est un mauvais calcul. Les esclaves mécaniques, les puces électroniques peuvent faire gagner du temps, ce qui n'est d'ailleurs pas encore démontré. Il est certain, en tout cas, qu'on ne peut pas déléguer à d'autres le soin d'apprendre, de comprendre et de se bâtir. Et une société moderne ne doit pas encourager hypocritement le retour au travail des enfants qui a marqué le début de l'ère industrielle. On sait par ailleurs que le travail étudiant, pour l'essentiel, c'est du travail pour toujours plus de consommation.

Le calendrier d'implantation

Des réformes majeures s'imposent au niveau collégial. Quelque 60 000 jeunes s'y inscrivent chaque année. On ne peut pas continuer indéfiniment l'enseignement de programmes dont on vient de déclarer qu'ils sont mal foutus. Du seul fait qu'il est question de modifier les programmes de philosophie, il est déjà devenu plus difficile d'y intéresser les élèves. Il faut raccourcir le plus possible les mesures de transition d'une part et, d'autre part, appliquer rapidement toutes les mesures qui peuvent l'être.

En ce qui a trait au manque de préparation des élèves, on peut convenir qu'il faille, pendant deux ans, des sessions d'accueil et de mise à niveau, mais il ne faut pas institutionnaliser le système des salles d'urgence. Il faut, au contraire, instaurer un système de santé et le moyen d'y arriver rapidement, c'est d'annoncer quelles seront, à compter de la rentrée de 1995, les conditions d'admission au cégep. Au fond, une seule condition suffit : une dictée de trois cents mots, échec après cinq fautes, peu importe lesquelles.

Conclusion lyrique

« *Nous rêvons d'un cégep qui offrirait à un jeune deux ou trois années enchantées* », pour reprendre l'expression d'Allan Bloom, « *pendant lesquelles il peut, s'il en décide ainsi, devenir tout ce qu'il souhaite devenir et passer en revue tous les choix possibles, non seulement ceux qui s'offrent à lui dans l'immédiat ou ceux qui lui seront offerts par la profession qu'il envisage d'embrasser par la suite, mais aussi tous ceux qui se présentent à lui en sa qualité d'être humain. On ne saurait surestimer l'importance de ces années-là pour un jeune. Elles constituent son unique chance de devenir un être civilisé* ».[13] Deux ou trois années de liberté, ce qui ne veut pas dire deux ou trois années de facilité et de complaisance. C'est au cégep que les jeunes peuvent avoir la chance de faire ce qu'ils ne feront plus jamais.

Mal assurés dans notre propre maturité, nous ne savons plus contraindre à la hauteur. Ruisseaux sans rives de la génération

---

13. Allan Bloom, *L'Âme désarmée*, Julliard, 1987, p. 275.

lyrique, nous répandons notre propre errance. Indéfinis nous-mêmes, nous n'offrons aucune résistance canalisatrice. Quel a été le premier cri de protestation en réponse aux rumeurs de réforme de l'enseignement collégial ? Le premier cri a été : « *On va perdre nos jobs !* » On n'a pas senti que l'élève était au cœur des réactions et des préoccupations des maîtres.

La beauté de l'action éducatrice, sa grâce même, c'est de mettre en position de transmettre des connaissances, la méthode pour les acquérir et, en plus, fournir l'occasion d'agir, le plus souvent à l'insu de l'éducateur, sur des jeunes êtres. Au niveau collégial, particulièrement, les éducateurs sont en position de donner le dernier coup de pouce, de formuler, presque toujours à leur insu, la réflexion salvatrice et nourrissante, et jusqu'à l'exemple rafraîchissant de l'exercice de la liberté et de l'amour, au bord même de l'extrême fatigue. « *Mes œuvres les plus fraîches* », disait Péguy, « *je les ai toujours faites dans une fatigue extrême* ». On va bien loin, depuis qu'on est las, comme dit le proverbe. Ce proverbe, que nous avons pu lire dans le dictionnaire *Élie Blanc* du temps de nos écolâtries, nullement fatigués, et qui peut-être nous émouvait prémonitoirement.

De l'école[14]

« *Hé ! Dieu, si j'eusse étudié au temps de
ma jeunesse folle, et à bonnes mœurs
dédié.* » François Villon

En décembre 1992, nous avons publié dans *La Presse* notre
opinion sur le projet de réforme des cégeps. En mai 1993,
toujours dans ce même journal, nous avons publié notre
jugement sur ce que nous appelions : « *Le rendez-vous manqué
de Mme Robillard* ». Ces semaines-ci, les journaux nous
apprennent que « la ministre Robillard s'attaquera au
secondaire ».

Faut-il être désœuvrés, *pertinaces* ou *zarzais* pour avoir le
goût de vous proposer, bénévolent lecteur, notre opinion sur la
réforme du niveau secondaire ? À moins, ce qui serait plus
honorable, que nous soyons tout simplement intéressés par
l'école ; préoccupés, par ce qui s'y passe et par ce qui ne s'y
passe pas.

Nous partons du fait que le niveau collégial vient d'être
confirmé en tant que troisième niveau du système scolaire
québécois et que la ministre Robillard entend maintenant
s'attaquer au niveau secondaire. Si l'on s'en rapporte aux
déclarations publiées dans les journaux, la réforme du niveau
secondaire est « *toute prête* » *; les* « *intervenants* » *sont
choisis ; dans un mois (nous citons Le Soleil du 8 août 1993),
« le processus et le calendrier seront soumis* ». Il est facile,

---

14. François Caron, Jean-Paul Desbiens, Arthur Tremblay, Jean-Noël Tremblay. Article
publié les 23 et 24 septembre 1993.

ajoute la ministre, « *de mettre à jour toutes les analyses, d'essayer de voir s'il n'y a pas une nouvelle dynamique qui s'est installée quelque part* ».

Nous ignorons si une « *nouvelle dynamique s'est installée quelque part* ». Chose certaine, l'école est en difficulté partout. Le fait n'est pas à démontrer : on ne démontre pas la pluie sous l'averse. Les tentatives de réformes n'ont pourtant pas manqué. Pour nous en tenir au Québec, outre la réforme scolaire radicale entreprise au début des années 60, combien de ministres de l'Éducation ont voulu remettre l'école sur le métier, comme dirait Boileau ; combien de livres blancs, jaunes, verts ; combien de colloques, d'États généraux sur l'éducation ?

QU'EST-CE QUE L'ÉCOLE ?

Avant de proposer un énième arrangement des programmes, des horaires, du calendrier, du rapport maître/élèves, etc., il serait peut-être utile de poser la question élémentaire : « *Qu'est-ce que l'école ?* » Nous avons le goût de répéter la description de Jean-Claude Milner : « *Parler d'école, c'est parler de quatre choses : a) des savoirs ; b) des savoirs transmissibles ; c) des spécialistes chargés de transmettre des savoirs ; d) d'une institution reconnue, ayant pour fonction de mettre en présence, d'une manière réglée, les spécialistes qui transmettent et les sujets à qui l'on transmet* ». On parle ici de savoirs transmissibles (ou savoirs **froids**), par opposition aux savoirs **chauds** et aux savoirs **proliférants**.

Les savoirs **chauds**, ce sont les savoirs premiers, premiers dans le temps et premiers comme fondement ; ce sont les savoirs de ma grand-mère, de mon grand-père et de tous leurs ancêtres. Ce sont mille secrets artisanaux, le vieux fonds de sagesse et de « *causerie* » qui constituent une famille, une région, un peuple. Cela va de la recette de cuisine aux attitudes morales, en passant par le timbre de la voix. Ces savoirs-là n'ont rien à voir avec l'école.

Les savoirs **proliférants**, ce sont les modes. Cela va de la bande dessinée à la sexologie en passant par la conduite automobile et les traversées de rue du coroner Bouliane. L'école n'a rien à voir avec les savoirs proliférants.

Les savoirs **froids**, ce sont les savoirs transmissibles par voie d'enseignement formel ; ce sont les savoirs scientifiques. Cela va de la physique à la théologie. Je n'ai pas à inventer ou à négocier l'électricité ou la Trinité ; c'est fait. Je n'ai pas à inventer le moteur à quatre temps, ni le téléphone, ni la télévision, ni l'électronique, ni la grammaire. J'ai à les comprendre et à les apprendre.

Par rapport aux savoirs transmissibles, l'école est un raccourci : elle prend le petit d'homme à zéro (quant aux savoirs froids) et elle doit le hausser au degré où se trouve l'humanité au moment où le petit d'homme y est projeté. Dans un raccourci, il est bon d'avoir un guide. C'est le maître. Il importe que le maître connaisse le territoire. Quel territoire ? Le territoire humain. Il faut que le maître connaisse non seulement la carte du territoire, mais ce qu'il y a sous la carte. Il importe qu'il ait « *marché* » son bout de chemin. Quand Montaigne souhaitait des « têtes bien faictes », il pensait aux maîtres. Pour engendrer biologiquement, il faut être nubile selon son espèce. L'enseignement est une forme de génération : pour engendrer des têtes bien faites, il faut en avoir une de la même espèce.

La description de Milner a le mérite de mettre en relief une des fonctions imprescriptibles de l'école : la transmission de savoirs. Le *Rapport Parent* rappelait la même chose : « *C'est avant tout pour l'éducation de l'intelligence que l'école vient suppléer à l'insuffisance des parents* » (t. 2, paragr. 20).

Il faut cependant compléter cette description en disant ceci : l'école doit apprendre l'homme au petit d'homme ; c'est sa fonction disons humaniste ou humanisante. Elle doit aussi lui apprendre à gagner sa vie. Certains élèves pourront séjourner plus longtemps à l'école pour devenir capables de pratiquer le métier de leur choix, selon leurs aptitudes et leurs goûts ;

d'autres pourront y séjourner moins longtemps. Mais de toute façon, on va à l'école pour s'apprendre et pour apprendre à gagner sa vie. Disons, pour reprendre une image familière, que l'école doit fournir au petit d'homme un « *trousseau de clés* ». Un trousseau de clés qui lui permettent d'ouvrir les trésors de la connaissance de l'homme par l'homme, et les trésors de la connaissance du monde. Un trousseau de clés qui lui permettent d'ouvrir la grammaire française, La Fontaine, un moteur, la télévision, un thorax.

Précisons encore que nous parlons ici du niveau secondaire. Qu'est-ce à dire ? Parler du niveau secondaire, c'est parler d'un niveau d'études qui doit être accessible à tous les jeunes de la société. Ce postulat va ou semble aller de soi. Il est en tout cas récent. Au début des années 50, au Québec, il était admis que seul le niveau primaire devait être accessible à tous les jeunes. Par voie de conséquence, il était conçu comme terminal. Le niveau secondaire, privé ou public, n'était, dans les faits, accessible qu'à une minorité.

Du fait que le niveau secondaire est maintenant accessible à tous les jeunes, il s'ensuit que pour certains d'entre eux, il sera terminal. La société peut imposer le niveau primaire à tous ses jeunes, étant entendu, à toutes fins utiles, que tous les jeunes peuvent entreprendre et terminer ce niveau d'études et que ce niveau n'est plus terminal. Mais le niveau secondaire, lui, dans l'état actuel des choses, sera terminal pour un certain nombre des jeunes. Autrement dit, le niveau supérieur (le niveau collégial dans le système scolaire québécois) n'est pas destiné à recevoir 100 % des finissants du secondaire.

Ces rappels, qui sont presque des truismes, entraînent des conséquences importantes dans l'organisation des programmes et la sanction des études. Ils doivent également entraîner des changements importants dans les attitudes des parents et des élèves. Au fond, il s'agit de prendre en compte le fait de la différence dans les aptitudes, les goûts des élèves, les besoins de la société.

L'ÉCOLE QUE NOUS NOUS SOMMES FAITE

La réforme scolaire entreprise et menée durant la décennie 1960-1970 a été longuement voulue et soutenue par la société, même après le coup de semonce de la campagne électorale de 1966. Par la suite, elle a été durement contestée, principalement aux niveaux secondaire et collégial, soit par les syndicats des « *travailleurs de l'enseignement* », soit par les élèves eux-mêmes. Deux ouvrages récents portent un jugement sur l'école. Nous les retenons ici parce qu'ils n'émanent pas « *de l'extérieur* » ou de vieux nostalgiques, mais de deux ex-clients. Nous disons : clients, puisqu'ils ont fait partie, il y a peu, de la clientèle scolaire, comme on dit depuis que l'école accueille des clients.

Le premier jugement est de François Ricard :[15] « *L'éducation dite libérée et toute centrée sur le prétendu respect de l'enfant ou de l'adolescent équivaut en réalité à séquestrer l'enfant ou l'adolescent dans un univers à part, une sorte de camp de concentration ludique d'où l'accès au monde commun lui est interdit. Ne rien lui imposer, le dispenser de rien apprendre et l'inviter à tout découvrir par lui-même sous prétexte de le préparer à un monde nouveau. (…) Sous couvert de le libérer, on l'isole et lui enlève ses chances d'accéder un jour au monde commun, de s'y mesurer et de le transformer* ». On transforme l'élève en idiot. L'idiot, au sens étymologique du terme, c'est celui qui est enfermé en lui-même, l'étranger à un métier, l'ignorant.

Le second jugement est de Mathieu-Robert Sauvé[16]. Dans son chapitre sur l'éducation, il écrit notamment : « *J'ai plutôt le souvenir amer d'enseignants qui considéraient l'effort intellectuel comme une tare. (…) Les élèves : de la chair à scolarité, comme on dit de la chair à canon* ». Un autre de ses

---

15. *La génération lyrique,* Boréal, 1992.
16. *Le Québec à l'âge ingrat,* Boréal, 1993.

chapitres s'intitule : « U*n zoo, le jour* ». Il mentionne encore le cas d'une institutrice réprimandée par son directeur pour avoir donné une dictée : « *Pas dans le programme* ! » Soit dit en passant, M. Sauvé a trente-deux ans. Il est de la génération post-lyrique. Pourvu qu'on ne se retrouve pas devant une génération *lyreuse*, comme on dit au Lac-Saint-Jean.

On pourrait empiler des tonnes de témoignages analogues venant de France ou des États-Unis. En fait, plus ou moins tout le monde possède une bonne idée de l'état du patient scolaire. Là-dessus, la ministre a raison quand elle dit qu'il n'est pas « *nécessaire de reprendre une à une toutes les analyses déjà faites* ». Pas nécessaire, en effet. Notre crainte, cependant (et nous l'avions à propos de la « réforme des cégeps », et notre crainte s'est avérée fondée), notre crainte, disons-nous, c'est que la ministre se contente encore une fois d'une opération cosmétique.

Nous ne parlons pas ici de l'école d'il y a 50 ans ni non plus de l'école de l'an 2047. « *On n'enseigne pas l'avenir.* » Mais nous pourrions essayer de rappeler d'où vient l'école actuelle, la nôtre. Qu'a-t-on voulu faire en s'engageant dans la réforme scolaire des années 60 ? Pour l'essentiel, deux choses :

- rendre l'école démocratique, c'est-à-dire en confier la responsabilité à l'État ;
- rendre l'école financièrement, géographiquement et pédagogiquement accessible.

La création du ministère de l'Éducation, le 13 mai 1964, répondait ou plutôt correspondait à l'état de la maturité politique du Québec. L'accessibilité financière signifiait la gratuité scolaire. Nous nous abstenons, pour l'heure, de tout commentaire à ce sujet, sauf à dire que la gratuité est un paiement indolore sur le coup. L'accessibilité pédagogique et géographique a pris la forme de la polyvalence et des écoles du même nom.

Si sévère que puisse être, trente ans plus tard, le jugement sur l'école que nous nous sommes faite, demandons-nous quels sont les acquis de la réforme scolaire que personne n'entend remettre en question. On peut toujours bien mentionner : l'existence du ministère de l'Éducation et l'accessibilité de l'école.

L'ÉCOLE QU'IL NOUS FAUT MAINTENANT

Une école *désemcombrée*

Pour que l'école puisse atteindre ses objectifs ; pour que l'école soit ; pour que l'école soit école, il faut réunir, le moins mal possible, certaines conditions. Il faut d'abord que l'école se comprenne elle-même comme école ; qu'elle cesse de se prendre pour tout et n'importe quoi. Car l'école n'est ni la famille, ni la société.

L'école est une rupture avec la famille. Dans la famille, on prie, on supplie, on trépigne, on a bobo, etc. À l'école, on apprend à se mesurer avec le « *problème sourd et muet* », comme disait Alain. Problème de calcul, problème d'orthographe, problème du contact avec l'autre, problème des examens. Un maître dit ce qui est. Point. Rien ne sert de trépigner pour que Djibouti soit la capitale du Canada, ou que le mot orthographe s'écrive ortografe ou hortaugraphe.

« Vous oubliez que l'école de 1993 doit accepter des enfants qui viennent, pour une moitié, de familles éclatées et qu'il faut dès lors qu'elle recouse le tissu familial. » Nous répétons que l'école n'a pas pour fonction de remplacer la famille. Elle n'a pas pour fonction de servir à déjeuner à ceux qui sont partis de la maison sans déjeuner. Ce qui n'empêche pas que des déjeuners soient servis dans l'école. Dire ces choses, ce n'est pas être sans cœur. Bien au contraire ! Si l'école est école, si elle assure correctement le service social qu'elle est la seule institution à pouvoir assurer, c'est alors qu'elle est le plus durablement secourable.

51

L'école est une société, mais elle n'est pas et ne doit pas être une réplique de toute la société. C'est parce qu'on a voulu que l'école devienne l'**alibi** et la **panacée** des tares sociales qu'elle est devenue littéralement intenable. Si l'école est un « concentré de société », il y faut une police, un hôpital, un bordel, une église, deux mitaines, une mosquée, une pharmacie avec des condoms en quatre couleurs, des brasseries, un parc d'amusement, etc.

Nous savons très bien que l'un des problèmes de l'école, ces années-ci, c'est ce qu'on appelle la *démotivation* des élèves et son corollaire (à moins que ce n'en soit une cause), la lassitude des maîtres. À ce sujet, une question, d'abord : « A-t-on déjà aimé l'école d'un amour non pas ardent, mais raisonnable, si l'on peut ainsi dire ? » Du temps de Montaigne, il ne semble pas qu'il en ait été ainsi. Il parlait, en effet, de « *geôles de jeunesse captive* ». La littérature et la peinture représentant l'école de jadis et même de naguère ne nous montrent pas le temps des écolâtries comme un vert paradis. Relisez La Fontaine. François Villon, cependant, regrettait de n'avoir point étudié du temps de sa « *jeunesse folle* ». Il peut fort bien arriver que l'on se mette à aimer l'école seulement après l'avoir quittée. Il faudra toujours vivre avec ce problème d'un amour tout relatif de l'élève pour l'école.

L'école n'est pas un lieu d'amusement. Il a toujours été et il sera toujours difficile d'apprendre. Être élève est déjà un métier, c'est-à-dire quelque chose d'exigeant, de pénible parfois, mais qui apporte ses joies, ses émerveillements, ses victoires. Ce qui n'est pas normal, c'est qu'une majorité d'élèves séjournent à l'école de force, s'y ennuient continuellement et ne rêvent que d'en sortir. Nous ne ferons pas l'analyse de cette situation. Nous disons toutefois qu'une des raisons qui expliquent la désaffection vis-à-vis de l'école, c'est qu'elle n'est justement pas assez exigeante, qu'elle est trop facile. Il faut rendre l'école plus haute, plus nette, plus exigeante. On ne peut pas éviter ce terme et la réalité qu'il désigne.

Du temps qu'on savait dire les choses simplement, on disait que le maître devait rendre l'élève bienveillant, docile, attentif. On assure la **bienveillance** en montrant que le savoir est un bien. « *Il n'y a pas d'ignorance utile.* » On obtient la **docilité** (ce qui ne veut pas dire, ici, l'obéissance) par l'ordre que l'on introduit dans son enseignement ; par le souci de la méthode. On rend **attentif** en avertissant de la difficulté de parvenir au savoir.

Une école libre

Pour que l'école puisse atteindre ses objectifs, il faut qu'on y entre et qu'on y demeure librement, aussi longtemps qu'on le veut et qu'on le peut. Il est temps de revoir l'idée de « *l'école obligatoire* ». Le droit à l'éducation est un acquis de civilisation. Le problème, c'est qu'on a transformé un **droit** en une **obligation**. Lever le caractère obligatoire de la fréquentation scolaire ne changerait pas grand-chose en pratique. Mais cela changerait beaucoup de choses au plan de l'imaginaire. L'école redeviendrait un lieu choisi, un lieu voulu. Et puis, l'école pourrait imposer certaines conditions à ceux qui y entrent et qui y séjournent. La condition, par exemple, de travailler à apprendre. La condition de respecter les règles de l'école. En clair, l'école doit pouvoir refuser celui qui la refuse.

L'enfant a droit à l'école ; il faut donc que l'école soit accessible ; il faut encore qu'elle réponde aux besoins des jeunes et à ceux de la société. Les jeunes sont incapables de connaître et de reconnaître leurs besoins véritables. Il faut que les responsables, eux, possèdent une idée de la responsabilité de l'école vis-à-vis de la formation fondamentale de l'élève, et qu'ils ne se débarrassent pas de cette responsabilité en transformant l'école en un supermarché de connaissances sucrées et jetables. Quant aux besoins de la société, il est impossible de les connaître de façon précise en ce qui a trait au marché du travail. L'école n'a aucunement la responsabilité de préparer l'élève pour la dernière édition de telle ou telle machine et encore moins, de s'aligner sur le dernier vendeur de la dernière méthode d'épellation ou la dernière grille du dernier docimologue de l'Ohio.

Une école dirigée

L'école actuelle n'est pas dirigée ; elle est *encarcanée*. Elle est *encarcanée* de l'extérieur par le ministère de l'Éducation. C'est, en tout cas, l'avis du Conseil supérieur de l'éducation : « *Gestion atrophiée, dit-il ; modèle miné par ses propres règles de fonctionnement ; appareil administratif qui pourrait continuer à tourner, alors même qu'il n'y aurait plus d'élèves pour en justifier l'existence* ». Qu'une opinion de ce genre fasse bien rigoler les bureaucrates, on s'en doute. Preuve en est que tout récemment, au moment même où la ministre annonce qu'elle veut redresser l'apprentissage du français d'un bout à l'autre, on jette sur son bureau un projet de réduction de 50 % du vocabulaire de base du primaire. Un article publié dans *Le Devoir* fait reculer la ministre à toute vitesse.

On tient ici un autre exemple d'une école placée sous la tutelle des spécialistes des sciences de l'éducation capables de blouser tout le monde. Ricard : « *Célébrés urbi et orbi par toute une légion d'administrateurs scolaires, thérapeutes familiaux, psychologues, docimologues et autres enfantologues spécialistes des "sciences" pédagogiques, ces nouveaux modèles éducatifs ne visent naturellement qu'un seul but : le bonheur et l'épanouissement des petits. (...) Qu'il joue, qu'il regarde la télévision, qu'il s'exprime, qu'il jouisse de son enfance, et la nature se chargera du reste. En un mot, qu'il demeure un enfant* »[17].

---

17. op. cit.

L'école est *encarcanée* de l'intérieur par les conventions collectives de travail. Nous l'avons dit à propos de la réforme (souhaitée, mais non réalisée) du niveau collégial ; nous le répétons à propos de la réforme du secondaire : aucune réforme significative n'est possible si l'on ne sort pas la pédagogie de la prison des conventions collectives de travail.

FAISONS UN RÊVE

« *Un octogénaire plantait.* » Passe encore de rêver. Supposons donc que nous ayons les pleins pouvoirs (juridique, politique, financier) pour bâtir une école de niveau secondaire. Que ferions-nous ?

Une école à dimension humaine, libre, dirigée

Nous accepterions dans notre école tous les élèves qui sortent du primaire.

Combien en accepterions-nous dans une même école ? Réponse : environ 1 400, que nous partagerions en deux groupes sensiblement égaux. Dans un groupe, se retrouveraient progressivement les élèves qui poursuivront leurs études au niveau collégial ; dans l'autre groupe, les élèves pour qui le niveau secondaire serait terminal, du moins pour un temps. Sortir provisoirement de l'école, ce n'est pas tomber dans la géhenne pour l'éternité.

Nous croyons que 700 élèves forment une école à échelle humaine. Aussi bien, notre école comprendrait deux pavillons distincts, partageant quelques services communs : bibliothèque, cafétéria, etc.

Le programme d'études du premier cycle serait commun à tous les élèves ; le deuxième cycle comprendrait des programmes pour les élèves qui visent l'admission au niveau collégial et des programmes pour les élèves qui se préparent au marché du travail.

Comment feriez-vous pour distinguer les deux catégories d'élèves du second cycle ? Réponse : c'est les élèves qui se distingueraient. Et comment se distingueraient-ils ? Réponse : progressivement, selon leurs aptitudes, vérifiées par des examens. Et pas seulement par des examens. Beaucoup de facteurs et d'influences s'exercent naturellement, dirions-nous. Influences de la famille, des maîtres, du compagnonnage, etc. Aussi bien, nous ne fixons pas une durée minutée au premier cycle. Cette durée pourrait être d'un an, de deux ans, de trois ans même. Quand on se permet de rêver, on ne s'embarrasse pas d'une logique d'actuaire. Notre école ne serait justement pas au service des statisticiens. Elle serait, autant que l'école peut l'être, au service de la vie. La vie crée des formes ; les formes ne créent pas de vie.

Objection : votre école serait difficile à administrer. Réponse : quand on est capable d'administrer les conventions collectives de travail de la Centrale de l'enseignement du Québec, on peut « *labourer la mer, peindre le ciel et discuter avec une femme* », comme disait Don Quichotte. On ne s'est pas encore avisé de penser que l'école que nous nous sommes faite a été faite pour tout le monde, sauf pour les élèves. Si l'on se mettait sérieusement à placer les élèves au centre des préoccupations des décideurs, on serait surpris. Surtout les élèves.

Le corps professoral de notre école serait formé d'environ soixante-quinze professeurs. Notre base de calcul est la suivante : un maître enseigne (nous disons : enseigne) six heures par jour, cinq jours par semaine. Il enseigne à vingt-cinq élèves par classe. Le mélange de ces deux ingrédients et de quelques épices est l'affaire des cuisiniers de l'informatique. Le problème, avec ces cuisiniers, c'est que tout le monde est interdit devant leur « *boîte noire* ». Ils élaborent des menus longs comme de « Paris à Pontoise », comme disait l'autre, mais ils ne sortent jamais la soupe aux pois quand c'est rien que ça que vous voulez.

Ces professeurs seraient-ils syndiqués ? Réponse : le droit d'association est un droit démocratique imprescriptible. Mais il est bien évident que notre école ne peut pas exister avec le syndicat obligatoire et unique. Ça, c'est une école pour « *travailleurs de l'enseignement* » ; ce n'est pas notre école. Les conditions de travail du corps professoral seraient donc négociées. Nous disons cependant que la relation maître/disciples n'est pas négociable. On ne négocie pas sa filiation. On peut aimer ou détester son père ; on peut se révolter contre lui. Mais on ne peut pas négocier la relation père/fils. Sinon, il n'y a ni père ni fils.

Notre école serait une école dirigée. À bord d'un navire ou d'un avion, il n'y a qu'une seule personne qui commande. Il en est ainsi parce qu'un navire ou un avion a une destination précise et que les passagers ont un intérêt vital, et non différé, à se rendre à la destination annoncée.

L'horaire de la journée d'enseignement serait divisé en deux tranches de trois heures chacune : de 9h à 12h ; de 13h à 16h. De 16h à 17h, une heure d'étude obligatoire pour tous les élèves.

Les manuels scolaires seraient choisis par la direction de l'école, en fonction de programmes qui ne changent pas chaque année. Ils seraient gratuits. Pour autant que la discipline s'y prête, les manuels seraient durables en ce sens que les élèves ne changeraient pas de manuels chaque année. Les manuels seraient durables en un second sens : chaque élève serait tenu de respecter son manuel, et des sanctions appropriées seraient prévues pour éviter le gaspillage et l'irrespect des instruments de travail. Un moyen de contrôle très simple, à cette fin, c'est l'exigence d'un dépôt remboursable après la remise, en état convenable, du manuel à la fin de l'année.

Notre école serait une école libre. Une école publique n'est pas tenue d'être l'otage de ceux qui n'en veulent pas ou de ceux qui ont besoin d'une institution spécialisée. La direction aurait donc un pouvoir d'exclusion vis-à-vis des élèves qui refusent l'école. La direction aurait également le pouvoir de congédier n'importe quel membre du personnel pour cause d'incompétence ou d'inconduite professionnelle.

Le transport scolaire serait assuré eu égard à l'éloignement de certains élèves. En toute hypothèse, l'horaire du transport scolaire serait fonction de celui de notre école et non l'inverse.

Le calendrier de notre école serait de deux cents jours par année. Nous parlons ici de deux cents vrais jours de vraie école. Seraient donc exclus les jours blancs ou verts, qui ne sont que des pique-niques déguisés en pédagogie. Quant aux fameuses journées pédagogiques, on pourrait bien les réduire à quatre ou cinq par année. Si les maîtres rencontraient davantage leurs élèves dans le cadre de leur travail régulier, ils n'auraient pas tant besoin de se rencontrer entre eux pour calculer la troisième décimale de leur convention collective.

Les programmes

Il revient à l'État de fixer le **niveau** des apprentissages qui doit être atteint dans les diverses disciplines, à la fin des études secondaires. Par exemple, cela veut dire qu'à la fin de ses études secondaires, l'élève doit maîtriser la grammaire française et connaître la littérature française dans quelques œuvres classiques. L'établissement d'un catalogue indiscutable des œuvres en question est une tâche impossible. Aussi bien, c'est par le biais des examens que l'on pourra fixer le niveau des apprentissages. Il n'est pas nécessaire d'avoir **vu** en classe telle ou telle œuvre. Il est nécessaire d'en avoir **vu** quelques-unes. Si on les a vues comme il faut, la connaissance qu'on en aura acquise est transférable à d'autres œuvres.

Le programme du niveau secondaire doit comprendre l'enseignement et l'apprentissage du français, de l'anglais, de l'histoire, de la géographie, de la mathématique et des sciences expérimentales : physique, chimie, biologie.

Le programme du niveau secondaire doit comprendre l'éducation physique et la formation artistique.

Et que faites-vous du reste : instruction religieuse, institutions politiques, économique, écologie, sexologie, etc. ? Quitte à paraître cavaliers, nous disons que ces disciplines doivent s'enseigner, pour une bonne part, à l'occasion de l'enseignement des autres disciplines : histoire, géographie, biologie, langues, à condition que les programmes soient conçus avec cette préoccupation. Nous faisons aussi l'hypothèse que le maître possède une honnête culture générale.

Le caractère confessionnel de notre école continuerait d'être laissé à la décision de chaque école, en liaison avec son milieu propre.

Dans notre école, nous le disions plus haut, à partir du début du second cycle, l'organisation des programmes d'études et le niveau d'apprentissage dans les diverses disciplines seront différents, selon qu'il s'agit des élèves qui se destinent au niveau collégial ou de ceux pour qui le secondaire sera terminal. Pour cette seconde catégorie d'élèves, l'enseignement et l'apprentissage des métiers occuperont une part importante du programme. L'apprentissage devra d'ailleurs être fait principalement dans les entreprises elles-mêmes. Pour l'enseignement et l'apprentissage en milieu scolaire, les maîtres seraient recrutés, pour une part, parmi les hommes de métier, notamment les contremaîtres des divers corps de métier.

En ce qui concerne la formation professionnelle, il est essentiel de déterminer le partage des responsabilités entre l'école et l'entreprise, et le partage de la responsabilité financière. Présentement, l'entreprise se contente pratiquement de distribuer de bons conseils sur la nécessité d'une « *formation générale* » et de dénoncer, à l'occasion, la mauvaise qualité du français chez le personnel de bureau.

La sanction des études

Il reviendra aux écoles elles-mêmes de sanctionner le passage du premier au second cycle. Quant au ministère de l'Éducation, il aura la responsabilité d'assurer la sanction **finale, commune et extérieure** des études.

La formation des maîtres

Sans nul besoin de statistiques sophistiquées, simplement en écoutant les professeurs que nous connaissons personnellement, nous savons qu'il y a un grand nombre d'enseignants qui n'aiment pas leur métier ou qui ne l'aiment plus. On dit couramment qu'ils sont *démotivés*. Pourtant, ils n'abandonnent pas, du moins extérieurement. C'est qu'il y a motivation et motivation. Il y a, dans ce métier, comme dans tous les autres, plusieurs motivations auxiliaires : un milieu de travail familier, des amis ou tout au moins des collègues connus, voire sympathiques, un long investissement d'énergie, un travail convenablement rémunéré. On peut faire un bon bout de chemin sur cette erre d'aller.

Par ailleurs, on peut avoir perdu bien des illusions et quand même savoir rebondir, c'est-à-dire conserver la motivation essentielle à l'exercice de son métier et à la poursuite ascendante d'une carrière. Chez l'enseignant, on pourrait dire que la motivation est faite des deux éléments suivants, indissociables : susciter la joie de connaître et être pénétré de l'importance de sa mission. Risquons ce grand mot.

La *démotivation* de bon nombre d'enseignants tient au fait qu'ils ont subi une double dévalorisation professionnelle. D'abord, ils se sont mis en marge de leur rôle propre dans l'école, en abandonnant aux centrales syndicales et aux patenteux de compromis la définition même de leur tâche à la troisième décimale.

Symétriquement, en entrant dans le jeu des stratèges gouvernementaux (dont plusieurs sortaient des rangs des stratèges syndicaux) ils sont devenus le jouet des politiciens.

Le corps professoral s'est fait souffler l'École normale, son lieu naturel de formation et de référence professionnelles, et a été remis entre les mains des spécialistes des sciences de l'éducation. L'enseignement est un art ; on l'a transformé en une science, qui n'en est d'ailleurs pas une. Qui pourra nous dire le nombre des *sciences de l'éducation ?*

Si l'enseignement est un art, il s'apprend d'abord par le compagnonnage, comme on disait (tiens !) au Moyen Âge. Disons *stages.* Une part importante du temps de formation d'un futur maître doit être consacrée à des stages dans de vraies écoles, avec de vrais élèves, avec l'accompagnement d'un « *vieil* » artisan. Le reste du temps de formation doit être consacré à apprendre une discipline d'enseignement. Pour enseigner l'histoire ou la mathématique, il faut, et dans cet ordre :

- connaître le plus possible d'histoire ou de mathématique ;
- aimer l'histoire ou la mathématique ;
- aimer les jeunes.

Ensuite seulement, sortir ses petits crédits ès sciences de l'éducation.

L'état actuel des écoles n'est pas le même partout. Il existe présentement de bonnes écoles ; des écoles disons moyennes ; des écoles malades. On peut très bien laisser les bonnes écoles filer toutes seules. C'est des écoles malades qu'il faut s'occuper prioritairement en leur fournissant des moyens financiers plus généreux qu'aux autres. La justice, ce n'est pas l'égalité mathématique. Et si l'on nous demande comment reconnaître les bonnes écoles des autres, nous répondons qu'il doit y avoir assez de monde au ministère de l'Éducation pour faire ce tri, au lieu de compter le nombre de mots du vocabulaire de base du primaire. On sait déjà que, toutes proportions gardées, il y a davantage de bonnes écoles privées que de bonnes écoles publiques. Une des raisons de ce fait, c'est que les écoles privées ne disposent pas d'une *clientèle* captive. Elles sont donc obligées de répondre aux attentes des parents. Par voie de conséquence, le sentiment d'appartenance y est généralement plus naturel et plus fort.

L'insatisfaction des élèves, des maîtres, des parents, du niveau collégial lui-même vis-à-vis du niveau secondaire n'est pas à démontrer. De plus, elle est fondée. Le ministère de l'Éducation s'apprête à le réformer. Nous ne rêvons pas d'une réforme définitive, inattaquable, sphérique, parfaite. Nous avons toutes nos réserves, toutefois, par rapport aux « *filons de réflexion* » de Madame la ministre. Ce qui vient de se passer à propos du niveau collégial justifie notre scepticisme. L'éducation exige le long terme, la vision à long terme. La politique, la politique électoraliste, la *politique aux sondages* choisit généralement le court terme, les mesures dilatoires ou cosmétiques. Des États généraux, par exemple !

L'école en état de siège[18]

En septembre dernier, *La Presse* a publié, sous notre signature, un article en trois parties portant sur la réforme des niveaux primaire et secondaire. À ce moment-là, le document ministériel intitulé : *Faire avancer l'école* n'avait pas encore été rendu public ; il l'a été le 1er novembre dernier. Depuis, la ministre a rencontré divers groupes et mené une campagne de promotion de son projet. Au moment où paraîtront nos propos, la commission parlementaire de l'Éducation aura tenu des audiences, brèves et discrètes, en regard de celles qui ont eu lieu au sujet du niveau collégial. Au demeurant, nous allons maintenant analyser le document en question et soumettre nos propres réflexions. Notre commission parlementaire, c'est les lecteurs de *La Presse*.

L'école est la trame de la société. Qu'elle ne soit plus, ces années-ci, une priorité politique est le signe même que le tissu social s'effiloche. L'école continue pourtant d'occuper les esprits. Depuis la réforme scolaire des années 60, on ne compte plus les tentatives de réforme. Chacun des ministres successifs (et on en a eu autant que le Zaïre) a produit son plan de redressement ; son livre blanc, vert ou jaune, pour ne rien dire des multiples colloques ou congrès annuels et autres États généraux sur l'éducation. La navette change souvent de main, mais le patron, comme on dit en terme de couture, est de plus en plus flou.

Le 1er novembre dernier donc, la ministre de l'Éducation rendait public le document intitulé : *Faire avancer l'école*. Le

---

18. François Caron, Jean-Paul Desbiens, Arthur Tremblay, Jean-Noël Tremblay. Article publié les 21 et 22 décembre 1993.

même jour, la polyvalente de Sainte-Anne-des-Monts fermait ses portes pendant deux jours, pour cause de violence. Le 23 novembre, les directeurs d'école de la Commission des écoles catholiques de Montréal discutaient de l'opportunité d'installer, dans certaines écoles, des mesures de sécurité comparables à celles qui existent dans les aéroports, dans les dépanneurs et dans les pharmacies. L'école en état de siège.

ANALYSE DU DOCUMENT MINISTÉRIEL

Les constats

Dans un premier temps, le document ministériel « *brosse un tableau de la situation de l'école* ». La *littérature* ministérielle est soumise à des règles ; on n'en attend pas des jugements bien ronds, bien carrés ; il y flotte naturellement une certaine onction qui, pour n'être pas ecclésiastique, n'en est pas moins lénifiante. Au demeurant, les constats en question sont plutôt rafraîchissants. Nous disons : rafraîchissants en ceci qu'ils sont clairs et qu'ils ne manquent pas de courage. Il est rare de lire, sous une plume ministérielle, un aveu comme le suivant : « *Le fait est que vingt années d'utilisation de ces approches (en français) n'ont pas assuré chez nos enfants une maîtrise de la langue que nous puissions juger satisfaisante* ». On connaît le proverbe : « *Quand le bâtiment va, tout va* ». Dans le domaine scolaire, on pourrait dire : Tant vaut la langue, tant vaut l'école. Dès lors…

Le document reconnaît également que *l'école est embarrassée*. Nous disions, nous, que l'école est encombrée. Notre quadruple ego en est tout flatté. « *L'école est embarrassée d'objectifs, de programmes, de règles accumulées au cours des années. On compte plus de six mille objectifs pour les programmes du secondaire.* » Vous avez bien lu : six mille. Les spécialistes des sciences de l'éducation sont passés par là !

64

Avec un peu plus d'audace, la ministre aurait bien pu ajouter que la convention collective des « *enseignantes et enseignants* », et dans cet ordre, compte plus de trois cents pages, dont une page complète sur la féminisation du français. Il va bien, le français !

Plus loin, le ministère reconnaît qu'il faudrait « *prendre quelque distance par rapport aux typologies d'objectifs de tous ordres, dont le nombre et la complexité ont de quoi laisser perplexe. En effet, il n'est pas de la compétence du ministère de s'ériger lui-même en maître de la pédagogie* ». On n'a pas plus besoin d'un État pédagogue que d'un État boulanger.

Les remèdes

Les remèdes proposés tiennent en huit propositions qui touchent :

- l'enseignement du français, langue maternelle ;
- l'apprentissage de l'anglais, langue seconde ;
- la formation générale ;
- la répartition du cours secondaire en deux cycles ;
- les traits caractéristiques du premier cycle ;
- la diversification des cours du second cycle ;
- la révision des règles d'obtention du diplôme d'études secondaires ;
- la gestion pédagogique.

Le cas du français.

Tout le monde est d'accord pour le renforcement du français, à commencer par les élèves[19]. La langue maternelle est la clé de tout exercice de la pensée et la condition de tous les autres apprentissages. Or, on sait que les résultats du dernier test imposé aux cégépiens sont désastreux : *« Le pourcentage de réussite est toujours aussi bas, soit 55 %* (*La Presse*, 18 novembre 1993).

Le document ministériel était parti d'un bon pied en proposant de ramener l'État à son rôle premier et irremplaçable en éducation : fixer les niveaux d'apprentissage, répartir équitablement les ressources, évaluer les résultats. Mais, à la première occasion, il se fourvoie. Il envisage d'imposer une pondération des épreuves en français. Qu'il laisse donc les écoles décider de la chose ! Les écoles trop laxistes seraient vite connues pour ce qu'elles sont.

Le cas de l'anglais

Parler du renforcement de l'apprentissage de l'anglais, langue seconde, c'est un euphémisme. Il n'y a guère d'enseignement valable de l'anglais, langue seconde, dans les écoles secondaires publiques. On sait pourtant ce qu'il faudrait faire : l'enseignement intensif donne de bons résultats là où on le

---

19. Depuis quelques années, le Campus Notre-Dame-de-Foy organise un concours d'excellence destiné aux élèves de 5e secondaire. Les candidats viennent des écoles secondaires privées et publiques de l'Est du Québec : Gaspésie, Lac-Saint-Jean, Estrie, Beauce, Mauricie, etc. Cette année, une des questions du concours se lisait ainsi :

« Madame Lucienne Robillard vient de lancer un projet de réforme du niveau secondaire. Vous terminerez bientôt vos études secondaires. Quelles seraient les recommandations que vous formuleriez en vue d'améliorer ce niveau d'enseignement ? Répondez par des phrases complètes et expliquez vos recommandations. Il sera tenu compte de la correction de la langue. »

Une soixantaine de candidats ont choisi de répondre à cette question. La plupart insistent sur la nécessité d'un meilleur apprentissage du français. Mais aussi de l'anglais, et sur le maintien du temps alloué à l'éducation physique.

pratique sérieusement. Mais c'est une méthode exigeante pour les maîtres et pour les élèves. Avant d'envisager les classes dites d'immersion, le ministère ferait mieux d'assurer la compétence des maîtres pour enseigner cette matière tout le temps prescrit, sur une base régulière.

La formation générale

Oublions pour l'instant que le ministère, il y a peu, parlait de formation fondamentale ; on parle maintenant de formation générale et de formation de base. Il est déjà symptomatique que l'on se promène ainsi d'une expression à une autre, comme si toute dénomination équivalait à n'importe quelle autre. Mais enfin, il n'existe pas encore de ministère des *Mots*, sur quoi le sage Lao-Tseu estimait que l'on devait fonder l'Empire (chinois, en tout cas). Le document ministériel parle donc *de la visée d'une formation générale de bon niveau.* Est-il possible de diluer davantage la notion de formation fondamentale ?

Cette troisième proposition aurait dû être le pivot de la réforme envisagée, puisqu'elle pose la question essentielle : qu'est-ce que l'école ? Or, la réponse suggérée prend la forme d'un *profil de sortie à définir...* Dans un éditorial féroce, Lise Bissonnette écrit à ce sujet : « *Tandis que l'Europe cherche à s'entendre pour exiger la maîtrise de trois langues à l'entrée des études universitaires, la ministre ne pose même pas la question à l'école québécoise. Peut-être (cette réponse) est-elle ensevelie, invisible, dans les deux inénarrables pages et demie consacrées à la formation générale où l'on nous annonce qu'il faudra bien définir un jour les* **savoirs***, les* **savoir-faire** *et les* **savoir-être** *caractéristiques d'un élève à la fin du primaire et du secondaire. C'est-à-dire les deux inénarrables pages et demie où l'on admet que la charrue a été mise devant les bœufs, et que des propositions ont été formulées avant d'avoir défini les objectifs premiers de l'école actuelle* » (*Le Devoir*, 9 novembre 1993).

Le partage du secondaire en deux cycles

Le document ministériel envisage de *répartir les cinq années du secondaire sur un premier cycle de trois ans et un second de deux ans*. Cette division est déjà inscrite dans les faits et elle correspond, en gros, à des données d'ordre psychologique. Il ne faudrait toutefois pas figer le nombre d'années du premier cycle au sens où tous les élèves seraient tenus de prendre trois ans pour le parcourir.

Les caractéristiques du premier cycle

Du début à la fin, le premier cycle doit être centré sur la formation générale. Nous reviendrons sur cette question un peu plus loin.

À la fin du premier cycle, la responsabilité de l'évaluation (notamment en français, en anglais et en mathématiques) revient aux autorités locales. Nous sommes d'accord sur ce point. Nous émettons une réserve, toutefois, quant au danger de maintenir l'apprentissage des mathématiques à titre d'instrument occulte de discrimination, comme nous l'avons déjà longuement rappelé à propos du niveau collégial.

Les épreuves diagnostiques

Au début de la 5e année du primaire et au début du second cycle du secondaire, le ministère envisage d'offrir aux écoles des épreuves diagnostiques d'écriture. L'idée est à retenir ; on pourrait même l'étendre à d'autres moments et à d'autres disciplines que la langue maternelle (française ou anglaise).

Le titulariat et le tutorat

L'action suggérée en regard de cette proposition semble tenir pour équivalents le titulariat et le tutorat. Or, le titulariat fait appel à une conception du rôle du maître bien différente de celle des enseignants-spécialistes d'aujourd'hui, mais aussi de celle d'un tuteur. Ce dernier peut n'enseigner aucune matière au groupe dit stable qu'on lui assigne. Dans ce cas, les liens entre le groupe et le tuteur sont ténus et artificiels. Par contre, le titulariat, c'est-à-dire la responsabilité d'un groupe stable, confié à un maître qui enseigne généralement deux disciplines à ce même groupe, crée une dynamique où les chances d'éduquer sont meilleures. Le titulariat, pratiqué naguère de façon pratiquement universelle, comporte des avantages indéniables, tant pour les élèves que pour les parents. En effet, ce n'est pas rien, à l'adolescence, de pouvoir s'identifier à un groupe ; ce n'est pas rien non plus de donner la chance à un groupe d'adolescents d'établir des relations soutenues et même personnalisées avec un adulte responsable.

Le malheur serait de laisser la mise en œuvre de cette mesure au bon vouloir des enseignants et surtout de leur chien de garde syndical. Envisager une telle éventualité, comme le fait la ministre, relève ou bien du cynisme, ou bien de l'angélisme.

Les caractéristiques du second cycle

Accroître la diversification des cours. Sur quoi repose cette proposition ? Réponse ministérielle : « *Sur la diversité des intérêts, des styles d'apprentissage, des aspirations et des motivations des élèves* ». Quatre ingrédients qui se trouvent combinés à combien d'exemplaires dans une école de sept cents, mille ou mille cinq cents élèves ? Si l'on a dénombré six mille objectifs dans les programmes actuels, ce n'est pas pour rien ! Par exemple, combien y a-t-il de styles d'apprentissage (si tant est qu'une telle chose existe) dans l'un ou l'autre groupe qui constituent une école ? Et pourquoi ce trait caractériel ou imaginaire, c'est selon, devrait-il conduire à la multiplication des programmes ? Et pourquoi davantage en quatrième et cinquième secondaire qu'en deuxième ou troisième ? Cette piste est sans issue.

Clarifions donc d'abord la notion de diversification. Elle peut venir de deux sources : de la *diversité des disciplines* ; de *la diversité des rythmes d'apprentissage.*

La diversité des disciplines pose le problème de la formation fondamentale et des profils de sortie. La formation fondamentale repose sur le choix de certaines disciplines, à l'exclusion de certaines autres. Nous avons déjà exposé notre pensée sur cette question. Quant aux *profils de sortie*, ils sont diversifiés dans la mesure où les élèves du secondaire envisagent des destinations diverses. Nous en retenons trois.

Les profils de sortie

Au terme du premier cycle du secondaire, il y a une première décision importante à prendre entre deux orientations. L'élève doit-il poursuivre des études dans le secteur général menant aux études collégiales, ou dans le secteur professionnel, menant au marché du travail ? Notons que cette décision ne doit pas avoir un caractère irréversible, mais qu'elle doit être prise avec tout le sérieux possible et tout l'éclairage disponible. Encore qu'il ne faille pas dramatiser.

Dans le premier cas, c'est la formation fondamentale qui se poursuit par l'approfondissement de certaines disciplines et par l'initiation à celles qui n'ont pas encore été abordées, mais en limitant les options au minimum et non pas en les multipliant. Bref, au secondaire, du début jusqu'à la fin, plutôt que l'éparpillement dans tous les *champs* du savoir, c'est l'approfondissement des connaissances de base qu'il faut assurer, en histoire et en géographie universelles, par exemple, qui semblent avoir été laissées pour compte.

Dans le cas de l'orientation vers le secteur professionnel, la formation devrait s'amorcer et se compléter selon des programmes adaptés aux jeunes de ces groupes d'âges et selon la complexité des fonctions de travail auxquelles ils se destinent. C'est pourquoi nous retenons ici deux profils de sortie : l'un en fonction des emplois de « *faible complexité* » ; l'autre, en fonction des emplois qui requièrent une formation technique plus poussée.

Quant à la diversification liée à des facteurs comme le rythme d'apprentissage, elle n'a rien à voir avec la multiplication des cours, des options, des programmes. C'est l'organisation concrète de l'école aussi bien que les méthodes d'enseignement qui doivent en tenir compte.

Les règles d'obtention du diplôme d'études secondaires

Pour éviter toute ambiguïté, nous dirions plutôt : *Règles de reconnaissance des études secondaires*, car c'est une chose de reconnaître, par un diplôme, la réussite des études de ce niveau ; c'en est une autre de reconnaître (par mode de certification) l'aptitude à exercer certaines fonctions de « *faible complexité* ». La révision des règles d'obtention du diplôme d'études secondaires, telle qu'envisagée, se situe à mi-chemin entre le *débraillage* actuel (accumulation d'unités, de la 1ère à la 5e secondaire, avec un minimum de cent trente unités et un maximum de cent quatre-vingts) et un régime crédible d'examens finaux. En fait, la reconnaissance des études secondaires doit correspondre aux divers niveaux d'apprentissage dans diverses catégories de programmes ; elle doit donc être liée aux profils de sortie.

Sur cent élèves qui s'inscrivent en première secondaire, soixante-trois s'inscriront au niveau collégial. À ce sujet, il existe un énorme besoin d'éclaircissement. La démocratisation de l'éducation, l'idéologie égalitariste, la structure du marché du travail, la structure de la rémunération salariale, la mentalité des droits, la fréquentation scolaire obligatoire, tout laisse entendre que n'importe qui a droit à tout : droit à la santé, à la beauté, à l'intelligence, au succès.

Or, tel n'est pas le cas. L'école doit enregistrer le fait de l'inégalité des aptitudes et accepter le fait de l'inégalité des destinées, de ce côté-ci de la lune.

71

Le niveau secondaire doit être accessible à tous les jeunes, mais ce ne sont pas tous les jeunes qui pourront ou qui voudront obtenir le diplôme de fin d'études de ce niveau. Parmi ceux qui obtiendront le diplôme de fin d'études, il faut distinguer ceux qui s'inscriront au collégial et ceux qui se dirigeront (au moins pour un temps) vers le marché du travail, pour y exercer un métier. Et encore, parmi les élèves qui s'inscrivent au secondaire, un bon nombre (8 % ? 10 % ?) ne détiennent même pas le diplôme ou l'attestation de fin d'études primaires : il s'agit des élèves qui auront passé sept ans au primaire et qui auront été admis au secondaire parce qu'ils ont 13 ans révolus. Le document ministériel estime que 18 % des élèves inscrits en 1ère secondaire *n'obtiendront jamais de diplôme d'études secondaires.*

Les pourcentages de réussite peuvent varier selon la qualité de l'encadrement et, jusqu'à un certain point, selon l'état général de la société ; mais le fait de l'inégalité des aptitudes scolaires demeurera. En clair, 100 % des élèves du secondaire ne sont pas destinés à s'inscrire au collégial. Il s'ensuit que les programmes et la sanction des études doivent être différenciés. Il faut un diplôme qui atteste la capacité de s'inscrire au collégial ; il faut un diplôme qui atteste la capacité d'exercer un métier ; il faut une certification qui atteste la capacité d'exercer des activités de *faible complexité*, pour reprendre une expression du document ministériel. Ce qu'il faut éviter, c'est la distribution de diplômes en dents de scie : « T*u obtiens ton diplôme avec tel niveau d'apprentissage en ceci, tel autre niveau en cela* ». Voilà bien pourquoi nous redoutons la « *diversification des cours en 4e et en 5e secondaire* », telle qu'envisagée par le document ministériel. Déjà que l'on déplore l'éparpillement des cours et des programmes du secteur de formation préuniversitaire au collégial, il ne faut pas l'établir au niveau secondaire.

Le document ministériel reconnaît, avec raison, que ce sont les autorités locales qui sont le mieux placées pour procéder à l'évaluation qui sanctionnera le passage du premier au second cycle. Il importe que l'orientation des divers programmes préparant à l'exercice d'un métier ou d'activités de « *faible complexité* » fasse l'objet d'une reconnaissance ministérielle. L'école doit tenir compte des besoins de la société et des aptitudes des élèves. L'important, c'est que tous sachent qu'elle offre à tous des chances égales, et qu'un bon mécanicien a autant de chance d'être heureux et utile qu'un bon chirurgien ou un bon historien. La société est un vaste circuit de délégations : je délègue ma mémoire à l'historien, qui délègue son corps au chirurgien, qui délègue sa voiture au mécanicien, qui prend sa joie chez le troubadour, qui s'en remet au comptable.

POUR DES MESURES PÉRIPHÉRIQUES

Un examen attentif du document ministériel conduit à la conclusion qu'une réforme en profondeur de l'école québécoise n'est pas à l'ordre du jour. Faut-il pour autant imiter le rat du Fabuliste qui

> « *Las des soins d'ici-bas,*
> *Dans un fromage de Hollande*
> *Se retira loin du tracas.* » ?

La ministre pose des questions « *importantes pour lesquelles les choix ne sont pas évidents* ». L'institution scolaire est en difficulté partout. Notre époque n'a pas encore inventé son école. Mais en l'absence d'évidences, il est des certitudes. Un certain nombre de ces certitudes portent sur ce que nous appellerions des mesures périphériques. L'expérience montre, par exemple, que le respect de l'horaire influence rapidement la qualité du travail d'un comité quelconque. Dans une école, un minimum de politesse, un minimum de propreté, un minimum de tenue vestimentaire sont parfaitement exigibles et seraient facilement respectés si l'ensemble des maîtres le voulaient.

Renonçant même à l'idée de réforme, le ministère pourrait atteindre des résultats étonnants en appliquant un certain nombre de mesures périphériques. Par mesures périphériques, nous entendons des règles ou des pratiques qui, sans viser le contenu même des programmes, auraient une influence décisive sur la vie de l'école et la qualité de sa *performance*.

Si l'on prend l'exemple du français, en deçà même de toute mesure de redressement, on n'imagine pas les résultats que l'on obtiendrait si tous les professeurs (et pas seulement les professeurs de français) exigeaient un minimum de correction dans la langue écrite ou parlée. Une école où n'importe qui pourrait demander à n'importe qui, n'importe quand : « *Qu'est-ce que vous voulez dire ?* », et recevoir une réponse en français correct, ne serait pas loin d'être une école parfaite. Il nous semble que ce serait aussi une école où règne un climat de liberté.

Ajoutons que la politesse, la tenue vestimentaire, un langage clair sont de bons remèdes à la violence. En Babel, on ne se comprend plus, c'est pourquoi on se cogne sur la gueule.

Il faut qu'une école soit tombée bien bas pour qu'il faille l'intervention d'un groupe de parents pour faire mettre à la raison deux élèves du primaire qui terrorisaient leur école depuis plusieurs mois. Cela s'est passé l'hiver dernier à Sainte-Perpétue-de-l'Islet. Ou encore, pour que l'on présente comme une victoire d'une direction d'école l'expulsion d'un élève en possession d'une *arme blanche*.

La stabilisation des programmes, des méthodes et des manuels serait déjà d'un grand profit pour les maîtres, les élèves, les parents, et dans cet ordre.

Nous pensons enfin que l'institution d'une heure d'étude quotidienne obligatoire pour tous les élèves, en sus des heures régulières d'enseignement, serait d'un grand profit pour tous : pour les élèves, pour les maîtres, pour les parents. On sait très bien, en effet, que cette heure d'étude *institutionnelle* serait, pour plusieurs élèves, la seule heure qu'ils consacreraient à leur métier d'élève, dans l'état actuel des choses.

La gestion pédagogique

La huitième proposition du document ministériel nous donne l'occasion d'amorcer notre atterrissage. *« Dans la grande chaîne du système scolaire, il ne saurait y avoir de réussite éducative sans l'action concertée de tous les membres de l'équipe-école et sans un véritable **leadership** pédagogique de la part de la direction de l'école. Il importe donc que les autorités supérieures favorisent cette concertation sur le terrain même de l'école. »* Ainsi s'exprime le document ministériel. La langue de bois franc. Avec une visée comme celle-là, on peut faire n'importe quoi, y compris rien. Cette huitième proposition est le prototype de la bonne intention mollasse.

Dans les trois pages et demie consacrées à la gestion pédagogique, il y a intérêt à souligner en quels termes on pense *mettre en valeur les responsabilités des directeurs et des directrices d'écoles.* Voyons un peu :

- dans la description de la situation présente, pas un traître mot ;
- dans la section intitulée : *ce qui est visé*, deux lignes écrites dans le style des clauses-remorques des conventions collectives.

Bref, dans la promotion de la gestion pédagogique par et dans l'école, pas une seule petite action n'est envisagée. Les trois pages et demie en question se terminent sur une note qui en dit long : *à moyen terme, le ministère entend discuter avec ses partenaires d'un ajout aux conventions collectives.*

Nous avons signalé, à plus d'une occasion, les points positifs du projet ministériel. Reprenons-en quelques-uns. Il faut appuyer sans réserve l'intention de madame la ministre de libérer l'école de ce qui l'embarrasse et la paralyse. Il faut quand

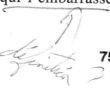

75

même lui demander jusqu'où elle est prête à aller dans le concret de la vie à ce chapitre ; quels moyens elle entend prendre pour y arriver et, surtout, si c'est bien l'école qui recueillera les fruits de cette décision. Il y a risque, en effet, que le terrain libéré par le ministère soit aussitôt occupé par d'autres instances : les commissions scolaires, notamment. L'école est suradministrée de l'extérieur ; c'est dans les écoles mêmes qu'il faut rapatrier le plus de pouvoir possible. C'est dans les écoles que l'école se fait.

Toutes les mesures susceptibles d'améliorer le comportement des élèves, tant dans leur conduite que dans leurs efforts et leurs travaux scolaires, doivent être appuyées avec conviction. Tel est le cas, par exemple du titulariat, de *l'évaluation rigoureuse de la formation de base* au terme du premier cycle du secondaire ; de la révision des règles d'obtention du diplôme d'études secondaires. Pour concrétiser ces propositions, il faudra obtenir au moins les deux choses suivantes :

- que les obstacles soient levés dans les conventions collectives ;
- que des mesures incitatives soient rendues disponibles aux écoles.

C'est ainsi, par exemple, que l'implantation du titulariat ne peut pas être placée sous le régime du bénévolat.

Favoriser le plein exercice des responsabilités des directions d'école est d'une urgente nécessité. À ce sujet, le document ministériel est d'un silence accablant. Il faut réclamer des actions vigoureuses. Si l'on ne donne pas aux directeurs d'école la latitude nécessaire et les moyens efficaces pour organiser la vie pédagogique de leur école et y faire régner un climat propice au travail intellectuel, on se paie de mots en parlant *d'imputabilité de l'école*. En toute honnêteté, on ne pourra pas demander de compte à ces personnes. Et alors, plus personne ne sera plus responsable de rien. Comme un navire, une école qui veut aller quelque part, c'est-à-dire remplir sa mission éducative, a besoin d'un vrai capitaine, pas seulement d'un gérant d'édifice scolaire pour verrouiller les portes en cas de nécessité.

Il faut sortir l'école de l'état de siège.

Lettre au ministre de l'Éducation de l'hiver prochain[20]

Ainsi donc, un nouveau ministre de l'Éducation[21] nous a été donné. Pour faire la transition, forcément. La chose est arrivée une vingtaine de fois depuis 1964 ; et depuis 1960, on a connu huit gouvernements, élus sous trois labels différents. Ces avatars de la démocratie ont pris la forme de vingt et un ans de Parti libéral du Québec, quatre ans de Union nationale, neuf ans de Parti québécois.

Ces changements d'équipes gouvernementales n'ont pas entraîné de changements significatifs dans l'évolution du système scolaire. C'est ainsi que l'arrivée au pouvoir du gouvernement de l'Union nationale, en 1966, n'a pas empêché la mise en place des cégeps, ni la création de l'Université du Québec, en 1968. Par ailleurs, il faut considérer comme des épiphénomènes, la création puis la suppression de tel ou tel Conseil, la division puis la réunion du ministère de l'Éducation.

Nous survolons une période de trente-quatre ans. Quand nous disons que les changements de gouvernement n'ont pas entraîné de changements significatifs dans l'évolution du système scolaire, nous n'ignorons pas que des changements considérables sont survenus. Par exemple, l'augmentation prodigieuse de la proportion des élèves féminines au secondaire, au collégial et à l'université ; le phénomène du décrochage (principalement masculin) ; le réaménagement des Commissions scolaires régionales ; le *travail étudiant* ;

---

20. François Caron, Jean-Paul Desbiens, Arthur Tremblay, Jean-Noël Tremblay. Article publié le 18 février 1994.

21. M. Jacques Chagnon.

l'assujettissement de la pratique pédagogique aux sciences de l'Éducation, etc. ont peu à voir avec la valse des ministres ou les changements de gouvernement. Les phénomènes en question résultaient des transformations de la société, des mentalités passagères, des modes dérivant sur les courants de pensée.

Qu'est-ce donc qui a assuré la continuité substantielle des orientations fondatrices ? On répondra : « *L'appareil administratif supérieur* ». Certes, malgré les changements de gouvernement, l'appareil administratif supérieur est demeuré à peu près inchangé de 1960 à 1976. Mais la raison profonde de la continuité dans les orientations, c'est que, pendant tout ce temps, le *Rapport Parent* demeurait la référence obligée. Et ce qui caractérisait le *Rapport Parent*, c'est qu'il fournissait un cadre global à l'implantation de la réforme scolaire, d'abord ; ensuite, à son adaptation aux autres transformations socio-culturelles.

Nous avons eu l'occasion de dire dans nos articles précédents que c'est précisément une référence globale qui fait défaut aux projets de réforme lancés récemment. Autrement dit, l'absence d'une vision de l'école qui correspondrait aux besoins actuels, plus de trente ans après la réforme scolaire qui a caractérisé la Révolution tranquille.

Est-ce à dire que nous souhaitons un nouveau *Rapport Parent*, dont la préparation et la digestion prendraient au moins cinq ans ? Non pas. Mais nous ne pensons pas non plus qu'une approche fragmentaire soit une piste prometteuse pour assurer la restauration dont l'école a un urgent besoin. La pseudo-réforme du collégial est en train d'illustrer la moins réjouissante de toutes les hypothèses. L'essentiel en vue d'un véritable renouveau a été raté : l'enseignement préuniversitaire n'est pas mieux harmonisé avec le secondaire, ni réellement intégré à l'enseignement supérieur. Les universités n'ont pas bougé d'un centimètre. Même les simples ajustements concoctés par les apparatchiks de tous ordres, et officiellement sanctionnés par l'autorité gouvernementale se butent déjà aux remparts des conventions collectives. Bref, les conditions sont réunies pour que cet enseignement passe sous le couperet, sitôt qu'un nouveau Étienne de Silhouette prendra charge de nos finances publiques.

En toute hypothèse, le nouveau ministre de l'Éducation ne sera en place que d'ici à septembre ou octobre prochain. À ce moment-là, ou bien le Parti libéral du Québec sera reporté au pouvoir, et on aura une nouvelle équipe gouvernementale ; ou bien le Parti québécois sera porté au pouvoir, et on aura une nouvelle équipe gouvernementale.

De toute façon donc, dans six, huit ou dix mois, le gouvernement sera encore placé devant la question de l'éducation. Un nouveau ministre, nouveau quant à son mandat à tout le moins, en prendra charge. Nous lui écrivons dès maintenant pour la simple raison que, en éducation, quand on veut faire ou changer des choses, il vaut mieux s'y prendre à l'avance. On manque toujours de temps. Les jours d'un ministre de l'Éducation sont comptés dès avant que le premier de son règne ne se soit levé. Songez seulement à leur taux élevé de mortalité politique.

Ce qui ne veut pas dire que nous ne savons rien des aléas de la politique politicienne. On n'est pas tenu d'être innocent parce qu'on est vieux. Au contraire, comme l'enseignait la bonne (vieille) grammaire : « *Instruits par l'expérience, les vieilles gens sont soupçonneux* ». Tel quel. Avec cet exemple, tout jeune, on se trouvait à apprendre deux choses :
- une règle de grammaire ;
- une leçon de sagesse.

Les élèves d'aujourd'hui qui ont la chance de fréquenter la *Nouvelle grammaire française* de M. Grevisse et A. Goose y trouvent la même vérité (# 162). Une vérité qui n'a pas vieilli.

Tenez ! nous allons faire rire aux rieurs professionnels et autres insouciants dans le tragique. Dans le *Catéchisme de l'Église catholique*, dans le chapitre « R*esponsabilité et participation* » (en matière sociale), on lit ceci : « *La participation commence par l'éducation et la culture. On peut légitimement penser que l'avenir est entre les mains de ceux qui auront su donner aux générations de demain des raisons de vivre et d'espérer* » *(# 1917)*.

Des raisons de vivre et d'espérer, les vieux ont eu le temps de s'en faire ou de s'en défaire. Les vieux sont des êtres socialement défunts. Défunt, selon l'étymologie, signifie : « C*elui qui est sans fonction ; celui qui s'est acquitté de la vie* ». Paix à leurs braises ! Mais les jeunes, mais les maîtres, mais les parents sont toujours en fonction. Il leur faut des raisons de vivre et d'espérer. Même en période de transition électorale. L'espoir est si vif au cœur de l'homme !

Dans son discours *d'investiture*, M. Daniel Johnson n'a pas prononcé une seule fois le **mot** « *éducation* ». Il a parlé d'emploi **ad nauseam.** Certes, le discours sur l'emploi est présentement le discours dominant, autant à Ottawa qu'à Québec ; autant à Washington que dans les capitales européennes. Il n'empêche qu'en matière d'éducation, il faut changer le discours sur l'emploi et il revient au ministre de l'Éducation d'inspirer ce discours.

Ainsi, c'est au ministère de l'Éducation qu'il incombe d'assurer la compétence exclusive du Québec en matière de formation professionnelle. Et encore, la relation école-emploi ne se ramène pas à la corrélation entre un programme de formation scolaire et un enploi dans le quart d'heure qui suit. Nous reviendrons prochainement sur ce sujet.

En lien avec le discours sur l'emploi, il faut dire un mot sur le « *travail étudiant* et sur *les profils de sortie* ». Nous reprenons ici quelques réflexions déjà publiées dans *La Presse*. La première concerne le travail étudiant. Aussi longtemps qu'on laissera croire, dans les faits, qu'il est possible d'exercer son métier d'élève tout en consacrant quinze ou vingt heures par semaine à du travail extra-scolaire, on ne réussira pas à faire prendre l'école au sérieux.

En ce qui a trait aux profils de sortie, essayons encore une fois de dissiper un malentendu, un préjugé, une idée reçue. Le malentendu et, plus probablement, l'idée reçue, c'est que 100 % des élèves qui entrent au secondaire ont *droit* à un diplôme de fin d'études secondaires. Dans un éditorial récent, Lise Bissonnette se scandalise du fait que le ministère de l'Éducation vise un taux de scolarisation de 80 % en l'an 2000. *« C'est-à-dire qu'il accepte en pratique d'exclure du marché du travail au moins 20 % de sa population »* (*Le Devoir*, 21 janvier 1994).

Peut-être faudrait-il donner un diplôme de fins d'études secondaires à tout le monde, en même temps que le certificat de naissance, quitte ensuite, pour chacun, de faire la preuve, au fur et à mesure, qu'il possède les connaissances et les habiletés correspondantes. On sait pourtant que dans l'état actuel des choses (qui ne promet pas de changer substantiellement d'ici à l'an 2000), il y a déjà 8 à 10 % des élèves qui doivent entrer au secondaire sans même détenir le diplôme ou l'attestation de fin d'études primaires. Soutiendra-t-on que tous les autres peuvent et veulent entreprendre des études de niveau collégial ?

Nous soutenons plutôt ceci : au terme du premier cycle du secondaire, il y a une première décision importante à prendre entre deux orientations. L'élève doit-il poursuivre des études dans le secteur général menant aux études collégiales, ou bien doit-il s'engager dans le secteur professionnel menant au marché du travail ? Cette décision ne doit pas avoir un caractère irréversible, mais l'alternative se présente à ce moment-là.

Selon la première branche de l'alternative, l'élève poursuit sa formation fondamentale ; selon la seconde branche, il entreprend des études théoriques et pratiques correspondant au degré de complexité des fonctions de travail auxquelles il se destine.

Ici se présente une nouvelle alternative, selon qu'il s'agit d'emplois de *faible complexité*, pour reprendre l'expression du document ministériel, ou d'emplois qui requièrent une formation technique plus poussée. Dans le premier cas, à la fin du premier cycle, les élèves doivent entreprendre les apprentissages appropriés, en liaison étroite avec le marché du travail. Dans le second cas, les élèves, à la fin du premier cycle, doivent suivre les programmes préparant aux métiers correspondants du marché du travail.

Dans nos articles précédents, nous avons mentionné un certain nombre de mesures périphériques, applicables à court terme et sans grands frais. Ces mesures auraient une influence considérable sur l'amélioration de l'école. Nous parlions de l'exigence d'un minimum de politesse et de tenue vestimentaire ; de l'imposition d'une heure quotidienne d'étude, obligatoire pour tous ; du pouvoir d'exclure les élèves qui, au détriment des autres, refusent les règles minimales et normales d'une école qui est une école.

Là-dessus, on nous a objecté qu'en vertu du règlement 2 413 ou l'inverse, le ministère ne peut rien *imposer* ; que c'est là l'affaire des instances locales. On nous en dira tant ! Des pays aussi arriérés que la France et la Grande Bretagne envisagent bel et bien de telles mesures. Le ministère de l'Éducation impose son jargon et il ne trouverait pas moyen d'introduire ou de faire introduire une heure quotidienne d'étude obligatoire pour tous ? D'imposer un minimum de politesse et de tenue vestimentaire ? D'autoriser l'exclusion des élèves qui refusent les règles normales de l'école ?

Le ministre de l'Éducation de l'hiver prochain sera placé devant la question de l'éducation. Entre-temps, il n'y a pas rien à faire, outre traverser l'hiver actuel. Ce que nous souhaitons pour l'hiver prochain, c'est quelqu'un qui affronte ce problème compliqué avec quelques idées simples. On est prié de distinguer simple et simpliste. Une idée simpliste, c'est de pelleter de l'argent dans un problème, ou de créer un énième comité d'experts, chacun biberonnant une firme de consultants. Une idée simple, c'est d'imposer une heure quotidienne d'étude obligatoire pour tous. Une autre idée simple, c'est de renvoyer à son auteur n'importe quel travail écrit, peu importe la discipline, après la troisième faute de grammaire ou d'orthographe. Idem pour les professeurs et pour les administrateurs. Deux ans de ce régime, et on ne reconnaîtrait plus l'école.

L'école et l'emploi[22]

Le discours sur l'emploi est devenu le discours dominant. Les politiciens cherchent à se faire élire ou réélire en promettant des emplois. Les évêques s'attablent avec des chefs syndicaux, des banquiers et des boss pour dénoncer le taux de chômage et promouvoir le travail partagé. Les élèves n'ont pas attendu tout ce beau monde : ils partagent leur temps de travail scolaire entre le pupitre et les pompes à essence ou les caisses enregistreuses des Club Price ou des Mac'Donald. Le phénomène est paradoxal.

À la fin du XIXe siècle, le combat social consistait, pour une bonne part, dans la conquête du loisir. « *La revendication d'un temps de loisir surgit avec la société industrielle elle-même* » (Joffre Dumazedier). En France, c'est en 1936 seulement, que le gouvernement du Front Populaire de Léon Blum imposait la semaine de quarante heures et deux semaines de vacances payées.

Après la guerre de 1939-1945, le progrès technique et le progrès dans l'organisation du travail amenèrent une hausse prodigieuse du niveau de vie dans les pays développés, une augmentation du loisir et une réduction des heures de travail. Cette tendance s'est maintenue jusque vers le milieu de la décennie 70. C'est cette période que l'économiste Jean Fourastié appelait *Les Trente Glorieuses* (Fayard, 1979).

Cette erre d'aller a commencé à ralentir à l'occasion de la crise du pétrole, mais les gouvernements ont cherché à maintenir le mouvement par le recours aux déficits. Maintenir

---

22. François Caron, Jean-Paul Desbiens, Arthur Tremblay, Jean-Noël Tremblay. Article publié le 8 juin 1994.

le mouvement, c'est-à-dire maintenir le même niveau dans les services, ou pratiquer l'acharnement thérapeutique sur des entreprises condamnées, pour une élection à Matane, à Cabano ou à Asbestos.

Depuis une dizaine d'années, il est devenu impossible d'occulter le fait que le travail est devenu un bien rationné. Les gouvernements, aussi bien que les entreprises, imposent un véritable rationnement du travail. Les gouvernements, par les coupures dans les effectifs ou dans les services ; les entreprises, par les licenciements massifs.

Ainsi donc, à cause même du progrès technique et d'une nouvelle distribution mondiale du travail, en moins d'un siècle, on est passé de la requête du loisir à la quête du travail. Le travail est devenu un privilège menacé, et le loisir a pris la forme du chômage.

Le chômage

Les économistes s'entendent généralement pour distinguer quatre espèces de chômage :

Le chômage saisonnier.

Les ouvriers de la construction chôment en hiver tandis que les instructeurs de ski chôment en été. Au Québec, évidemment, on a changé tout ça, comme les médecins de Molière. Le congé de la construction est imposé en plein mois de juillet et les promoteurs de ski bombardent la neige en été. Mais laissons cela. Avec l'indépendance, on va remettre le foie à droite.

Le chômage frictionnel.

Cette deuxième espèce de chômage est consécutive au fait qu'il y a toujours des travailleurs qui changent d'emploi, qui passent d'une région à une autre et qui, pendant un temps plus ou moins long, se retrouvent parmi les personnes sans emploi.

Le chômage cyclique.

Cette espèce de chômage accompagne les périodes de récession.

Le chômage structurel.

Il y a chômage structurel quand les travailleurs demeurent en chômage longtemps après une reprise économique.

Cette catégorisation est bien connue. Nous la rappelons cependant et, nullement gênés de le faire, pour trois raisons :

- La revue britannique *The Economist* vient tout juste de la rappeler, elle aussi. Ses lecteurs sont pourtant réputés avertis en ces matières.

- Toute distinction est économique. Penser, c'est distinguer.

- Cette distinction suggère enfin que le chômage n'est pas un phénomène de nature simple et univoque qui appellerait un remède de même espèce. La débrouillardise et la vertu ne suffiront jamais à extirper un mal aussi complexe. Ni non plus, la lutte contre les heures supplémentaires, le travail au noir, les appels au travail partagé et à la solidarité.

L'ÉCOLE ET L'EMPLOI

L'école est touchée par le discours sur l'emploi en ceci que l'on fait régulièrement le lien entre la formation scolaire et l'emploi. Au demeurant, le lien entre l'école et l'emploi est légitime, encore faut-il savoir comment nouer ce lien.

On peut dire de façon cavalière que l'école, jusqu'à la première révolution industrielle, se contentait et pouvait se contenter d'apprendre à lire, à écrire et à compter au plus grand nombre possible, réservant à une petite minorité la possibilité d'apprendre l'homme, de faire ses humanités, comme on disait. L'immense majorité des travailleurs gagnaient leur vie dans le secteur primaire pour lequel il n'est guère besoin d'une formation scolaire prolongée.

La première révolution industrielle a entraîné le développement du secteur secondaire qui exige une formation plus poussée. On vit alors apparaître les écoles de métier. La seconde révolution industrielle, que l'on peut dater après la guerre de 1914-1918, entraînait le développement du secteur tertiaire qui a connu, depuis, une croissance exponentielle. Présentement, les trois quarts des emplois se retrouvent dans ce secteur.

Nous pensons que la responsabilité de l'école n'a pas changé. Elle s'est étendue à l'ensemble des citoyens. Et cette responsabilité, c'est toujours et encore et à jamais d'apprendre l'homme au petit d'homme et de le préparer à gagner sa vie.

L'ÉCOLE ET LE PREMIER EMPLOI

En ce qui touche la préparation à gagner sa vie, la responsabilité de l'école, c'est de préparer à un premier emploi. Pour le niveau primaire, cette responsabilité, à toutes fins utiles, est périmée. Dans les pays développés, en effet, le secteur primaire ne requiert guère plus que 10 % de la main-d'œuvre. Il est bien fini (et heureusement) le temps où la richesse des pauvres se définissait par rapport au nombre d'enfants. On a remplacé ça par le travail étudiant. Chez les Romains, le prolétaire, c'était celui qui avait, comme seule richesse, ses enfants. *Prolès*, en latin, signifie enfant. Les prolétaires étaient exempts d'impôts.

Le niveau primaire conserve cependant sa responsabilité historique d'apprendre à lire, à écrire et à compter. Il faut prendre ces infinitifs au pied de la lettre. Le niveau primaire n'a pas la responsabilité d'apprendre à lire Emmanuel Kant (en traduction française ou anglaise). Il a la responsabilité d'apprendre à lire sans hoquet : *La poule pond*, si chère à Jules Renard ou encore : *Le Kabyle habile a tué la bête féroce*. Point. Le niveau primaire n'a pas la responsabilité d'apprendre à écrire comme

Paul Valéry. Il a la responsabilité d'apprendre à écrire lisiblement et sans fautes : *La poule pond* ou encore : *Le Kabyle habile a tué la bête féroce.* Point. Le niveau primaire n'a pas la responsabilité d'apprendre à compter comme un politicien en campagne électorale, il a la responsabilité d'apprendre les quatre opérations et la table de douze. Point.

Parallèlement et en assumant ces responsabilités, le niveau primaire doit apprendre l'homme aux petits d'homme, c'est-à-dire lui apprendre à vivre en société. L'école n'est pas la famille. L'école place le *petit roi* devant les problèmes « *sourds et muets* », comme dit Alain, c'est-à-dire les problèmes qu'on ne peut résoudre par les incantations, les suppliques, la magie. Ni même un référendum. La merveille de l'école, c'est que tous y sont réputés égaux devant l'esprit. En dehors de l'école, c'est la force qui tranche.

Le niveau secondaire a comme première responsabilité de confirmer et de développer les apprentissages fondamentaux du primaire. En cours de route, se précise pour le niveau secondaire la responsabilité de préparer certains élèves à gagner leur vie. En clair : les préparer à un premier emploi.

Les premiers emplois en question se divisent en deux catégories (nous utilisons ici le vocabulaire courant) : a) les emplois de faible complexité et b) les métiers. La distinction des trois grands secteurs de travail est toujours valide : secteur primaire, secteur secondaire, secteur tertiaire.

Il est question ici du premier emploi. Or, on sait que le premier emploi n'est pas un emploi à vie. Après trois (ou cinq) ans, par exemple, l'employé choisira un nouvel emploi ou sera obligé de changer d'emploi. Il aura donc besoin d'un nouvel apprentissage. Qui doit assurer cette formation supplémentaire ? L'école ou l'entreprise ? Il n'y a pas de réponse univoque. Ce sera tantôt l'école, tantôt l'entreprise. L'entreprise doit investir du temps pour assurer le savoir-faire immédiat. Le patron ou un contremaître, selon le cas, doit former le nouvel

employé à l'usage des lieux, de l'équipement, de certaines mesures de sécurité, etc. Cette formation et, au minimum, cette
information peuvent prendre quelques heures, quelques jours
ou quelques mois. L'employé ne peut pas faire l'économie de
cet apprentissage immédiat et l'entreprise ne peut pas faire
l'économie de cette formation.

Mais l'apprentissage supplémentaire et récurrent sera
d'autant plus facile que l'école aura mieux assuré l'assiette de
la formation générale de l'élève en relation avec le secteur
d'emploi. La responsabilité de l'école ce n'est pas de fournir
tout cuits, des employés pour l'entreprise.

En ce qui a trait au niveau collégial, nous avons déjà dit que
c'est au secteur professionnel que ce niveau remplit le mieux
ses responsabilités. C'est ainsi, par exemple, que les élèves
inscrits dans 39 programmes de ce niveau ont un taux de place-
ment sur le marché du travail de 95 à 100 %. Qui dit mieux ?

Quant au niveau universitaire, il est pour ainsi dire le modèle
de l'école qui prépare à un emploi. Depuis le Moyen Âge
jusqu'au moment ou l'Université a fait passer la recherche des
contrats de recherche avant l'enseignement, elle conduisait ses
étudiants à l'enseignement, justement, et aux professions dites
libérales. Au fil des ans, il s'en est ajouté plusieurs dizaines,
mais elle prépare toujours ses étudiants à un premier emploi.
Avec un bonheur que ceux-ci trouvent de plus en plus aléatoire,
cependant, notamment dans le secteur des sciences humaines.

Nonobstant les faciles déclamations, nous disons tranquil-
lement que l'école s'acquitte honorablement de sa responsabilité vis-à-vis de l'emploi. En fait, elle s'en est toujours assez
bien acquittée, même avant la réforme scolaire. L'école n'est
pas responsable des récessions, pas plus qu'elle n'est
responsable de l'éclatement de la famille. L'école n'est pas
responsable de l'état de l'économie mondiale. Les réformateurs
successifs du système scolaire ont beau nous parler d'attacher
le train de l'école à la locomotive de la mondialisation, ils ne

savent pas ce qu'ils disent. Ils répètent le dernier slogan, ils s'accrochent à la dernière grappe, comme les vieux frelons à bout d'ailes s'accrochent au dernier brin de trèfle, à bout de sucre, au bout de septembre.

Le ventre mou du système scolaire québécois, c'est le niveau secondaire. Pourquoi le niveau secondaire est-il le ventre mou du système ? Parce que plus personne n'ose appliquer les distinctions économiques. Nous voulons dire que toute distinction de concepts est économique pour l'esprit. Voulez-vous un exemple de non-distinction ? Autrement dit, voulez-vous un exemple de confusion coûteuse ? « *Sans formation supérieure, on devra se contenter d'emplois de deuxième ordre, routiniers, dévalorisants et mal payés* » (*Le Devoir*, 13 février 1994). En clair : tout le monde à l'Université ! Et voilà pourquoi, à l'Université, on impose des cours de français de niveau primaire. C'est les recteurs qui aiment ça. Ça leur permet de dire que leur Université compte 36 000 étudiants, à temps complet, partiel ou partagé, mais payés et payants par tête de pipe.

Il faudra toujours des coiffeurs, des cuisiniers, des pompistes, des concierges, des vidangeurs, des secrétaires, des chauffeurs de camion, de taxi. Il faudra toujours des infirmières, des préposés aux soins. Il faudra toujours des électriciens, des plombiers, des menuisiers. Ces trois corps de métier sont probablement et à jamais les plus importants. Ajoutez : un bon mécanicien. Il faudra toujours, aussi, des docteurs en ceci et cela, y compris en théologie !

L'école, en ce qui a trait à l'emploi, assume convenablement ses responsabilités. Ce que l'école a raté et continue de rater grâce aux conventions collectives et aux politiciens, c'est sa première responsabilité. Non pas de remplacer la famille, non pas de combler les lacunes de la société, non pas de jouer au ministère du Bonheur, c'est d'apprendre l'homme au petit d'homme. Cela commence par : « *La poule pond* », la « *table de douze* », « *le Kabyle habile a tué la bête féroce* ».

93

La bête féroce, c'est la bêtise, on aura compris. La seule prière que l'école a le devoir d'apprendre au petit d'homme, c'est, en français dans le texte : « *More brain, o Lord, more brain !* »

La modernisation
du système éducatif[23]

Il fut un temps où il fallait noircir la période du duplessisme. On parlait de la grande noirceur. On est un peu plus nuancé aujourd'hui. On reconnaît, en tout cas, que Duplessis a laissé les coffres pleins. Je veux dire : les coffres de l'État. Il est plus facile d'avoir des idées quand les coffres sont pleins. Cependant, il fallait sortir du duplessisme, et on en est sorti.

En ce qui a trait au système éducatif, le moment est également passé de noircir la situation d'avant la réforme pour mettre cette dernière en valeur. De toute façon, la réforme scolaire est depuis un bon moment dans le box des accusés. Et disant cela, je ne pense pas uniquement aux projets de réformes qui mijotent présentement dans les fours du ministère de l'Éducation.

Parmi les cocasseries de ma vie, il y a celle-ci : durant l'automne 1983 et l'hiver 1984, j'ai fait partie d'un comité sous-ministériel sur l'examen des fonctions et de la taille du ministère de l'Éducation. C'était il y a dix ans. Dix ans plus tard, il arrive que j'ai à disserter sur la modernisation du système éducatif. Comme je fais d'habitude, je vais d'abord vérifier un peu les mots, suivant la recommandation d'Alain : *« Une analyse directe des mots usuels permet toujours de traiter honorablement n'importe quelle question ».*

---

23. Communication faite par Jean-Paul Desbiens, le 23 mars 1994, à l'occasion d'un colloque organisé par l'École nationale d'administration publique sur la Révolution tranquille et la modernisation du Québec.

QUE SIGNIFIE MODERNE (MODERNISATION) ?

La racine indo-européenne du mot moderne signifie l'idée de penser, juger, mesurer. Les mots latins **quomodo** et **modo** en dérivent. Le mot **modulus** signifie : petite mesure de surface. Le mot **modernus** signifie récent. En histoire, l'époque moderne s'oppose à l'Antiquité ; elle s'étend de 1453 (chute de Constantinople) à la Révolution française, qui est censée marquer l'époque contemporaine. On sait que ces divisions sont conventionnelles ; elles sont cependant utiles. Le filet des longitudes et des latitudes est conventionnel, lui aussi. Cela ne l'empêche pas d'être bien commode.

Le contraire de moderne, c'est, d'une part, l'ancien, le vieux, le passé ; d'autre part, le désuet, l'arriéré, le démodé. Le mot moderne renvoie à la notion de temps et à celle de progrès. En politique, en littérature, en arts, en théologie, en exégèse, être moderne, c'est marquer une rupture avec des modèles, des structures, des pratiques antérieurs pour en adopter d'autres présumément meilleurs. C'est ainsi que, dans le langage courant, le terme moderne est à toutes fins utiles synonyme de progrès : progrès en efficacité, en design, en organisation, en compréhension, en rapidité, etc.

Même admise la part de convention dans la détermination des ruptures, ces dernières sont plus faciles à trouver que les progrès, les dépassements. Platon est un ancien ; Sartre est un contemporain. On est dans l'ordre des faits. Mais Sartre marque-t-il un progrès par rapport à Platon ? On sait comment Péguy ridiculisait l'idée même que l'on eût dépassé Platon : *« Un homme cultivé, vraiment cultivé, ne comprend pas, ne peut même pas imaginer ce que cela pourrait vouloir dire que de prétendre avoir dépassé Platon, comme le caoutchouc creux a battu le caoutchouc plein ».*

La modernisation du système éducatif

Parler de la modernisation du système éducatif, c'est parler de politique et de pédagogie. Avant, il faut décrire sommairement le système scolaire d'avant la réforme.

Le système scolaire avant la réforme

Comment caractériser le système scolaire que la Révolution tranquille a voulu moderniser ? Il était incomplet, sous-financé, cloisonné, fragmenté, insularisé.

Il était incomplet en ceci que le niveau secondaire public n'était pas généralisé. Certes, il existait un bon nombre d'écoles qui offraient une 12e et même une 13e année d'études, mais cela ne touchait que quelques milliers d'élèves, principalement des garçons. En outre, il ne permettait pas l'entrée à l'Université, sauf dans quelques facultés, et après une propédeutique. Enfin, là où les 12e ou 13e année d'études étaient offertes, leur existence dépendait de la volonté du Département de l'Instruction publique ou des commissions scolaires locales.

Il était sous-financé, en ceci qu'une bonne partie de l'enseignement postprimaire, secteurs public et privé confondus, était soutenue par les communautés religieuses et le clergé : équipement, immeubles, personnel. Cette situation historique masquait le sous-financement de la part de l'État et, de toute façon, elle était sur le point d'éclater.

Il était cloisonné, en ceci que les différentes sections d'un même réseau, et les différents réseaux entre eux, offraient des programmes d'études étanches les uns vis-à-vis des autres.

Il était fragmenté, en ceci que les différents réseaux relevaient d'autorités différentes (les facultés des Arts, pour le réseau des collèges classiques) ; différents ministères, pour les réseaux publics.

Il était insularisé. Je distingue ce trait du cloisonnement dont je parlais tout à l'heure. Par insularisation, je veux dire que les structures administratives du système scolaire n'étaient pas

97

ouvertes à l'ensemble de la société. Le surintendant du Département de l'Instruction publique n'était pas un élu ; les deux Comités confessionnels du Conseil fonctionnaient séparément ; le réseau privé relevait de trois facultés des Arts indépendantes l'une de l'autre ; les écoles d'État relevaient de différents ministères ; les commissions scolaires s'ignoraient les unes les autres.

Avec la réforme scolaire, on a mis sur pied des dizaines de comités de toutes sortes et de tous mandats. Il serait impossible de compter les milliers d'heures/personnes de toutes catégories, mobilisées pour la planification, l'implantation, la coordination de la mise en place de la réforme. Je ne crois pas qu'il y ait beaucoup de sociétés qui ont investi et soutenu autant d'énergie dans une telle aventure. La taille de notre société le permettait. Mais surtout, cette très vieille idée que l'éducation était depuis toujours un levier de développement que nous pouvions maîtriser.

La modernisation au plan politique

Au plan politique, la réforme scolaire, pour l'essentiel, a consisté dans la création du ministère de l'Éducation, c'est-à-dire la reconnaissance, par l'État, de sa responsabilité globale en éducation. Autrement dit, il fallait compléter le système, asseoir son financement sur une base rationnelle, le placer sous une autorité unique.

Ici, on touche un point de rupture, un changement daté et aussi un progrès incontestable. On est donc ici en présence d'une modernisation selon les deux acceptions principales de ce mot.

La modernisation de l'organisation scolaire

Aux plans de l'organisation scolaire et de la pédagogie, la réforme scolaire a pris la forme de l'accessibilité financière et géographique, d'une part ; d'autre part, elle a pris la forme d'un nouvel humanisme : l'humanisme pluraliste qui s'est concrétisé dans la polyvalence et les écoles du même nom (t. 2, #18).

L'accessibilité financière a été présentée et perçue comme synonyme de gratuité. On voit mieux aujourd'hui que rien n'est gratuit. Je préfère parler d'investissement. Et puisque je dois juger de la modernisation du système éducatif (et que modernisation implique progrès), je dis que l'accessibilité financière a été et demeure réelle, et que c'est un progrès. Si, par *génération,* on entend une période de vingt ans, je suis en mesure de dire que ma génération et celle qui a suivi (ce qui nous porte exactement en 1967, l'année de la création des cégeps) n'ont pas connu l'accessibilité financière.

L'accessibilité géographique existait avant la réforme scolaire au niveau primaire. À ce niveau, elle était pratiquement totale. Au niveau secondaire (qui n'a eu une existence légale qu'à partir de 1956), elle était loin (c'est le cas de le dire, puisque l'on parle de géographie) d'être réalisée.

La mise sur pied des Commissions scolaires régionales, la création des cégeps et celle de l'Université du Québec ont complété et couronné le système scolaire ainsi que son accessibilité financière et géographique.

En ce qui touche la formation des maîtres, la décision de la situer au niveau universitaire allait de soi et ne faisait que consacrer et généraliser la situation existante. On aurait dû, cependant, conserver l'institution même de l'École normale au lieu de remettre la formation des maîtres aux facultés des sciences de l'éducation.

La modernisation pédagogique

La modernisation pédagogique s'est inspirée de l'humanisme pluraliste préconisé par le *Rapport Parent*. En langage familier : la polyvalence et les écoles du même nom. Il est incontestable que le *Rapport Parent* a été conçu en **réaction**.

Réaction contre l'omniprésence de l'Église ; réaction contre les humanités classiques.

Sur le plan idéologique, la polyvalence voulait prendre en compte l'humanisme scientifique et technique, par opposition à l'humanisme classique.

Sur le plan de l'organisation scolaire, la polyvalence entraînait le ramassage scolaire et la construction d'écoles de grandes dimensions.

Sur le plan sociologique, la polyvalence visait le brassage des classes sociales.

Sur le plan des programmes d'études, la polyvalence amenait les programmes à options, la promotion par matière, les réorientations multiples.

Dans l'ordre commercial et industriel, une modernisation ne se fait pas **contre** la situation ou l'organisation antérieures. Quand on modernise une organisation agricole, une usine ou simplement une salle à manger, on n'est pas en réaction **contre** telle ou telle méthode, tel ou tel équipement ; on remplace par des méthodes ou des équipements plus efficaces. Dans l'ordre socio-politique et socioculturel, la volonté de moderniser prend racine dans la dénonciation de l'état de choses existant. La modernisation du système éducatif n'a pas échappé à cette règle.

La volonté de rendre l'école accessible et polyvalente a entraîné deux conséquences : le ramassage scolaire et le gigantisme des écoles secondaires. Ce sont là deux consé-quences négatives de la modernisation du système éducatif. Je ne dis rien de l'architecture scolaire. Les erreurs et les horreurs commises à ce sujet n'ont rien à voir avec la volonté de modernisation.

Il faut avoir à l'esprit que la réforme scolaire entreprise au Québec se situe dans l'énorme *brassage* moral et culturel des années 60. Pendant que nous entreprenions notre rattrapage, nous avons été rejoints par la houle immense qui secouait l'Occident.

La prise en charge de l'éducation par l'État s'est accompagnée d'une volonté de centralisation qui a conduit au « monopole public de l'éducation », pour reprendre le titre d'un ouvrage de Jean-Luc Migué et Richard Marceau.

La prise en charge par l'État a conduit également à « *l'État pédagogue* », comme dit le document ministériel : *Faire avancer l'école.*

Mon sujet consistait à décrire la modernisation du système éducatif. Fallait-il comprendre la modernisation comme un processus continu qui couvrirait les trois dernières décennies ? Ou bien comme un phénomène limité dans le temps, coïncidant, à toutes fins observables, avec la décennie 60 ? En un sens large, la modernisation, quel que soit son champ d'application, est un processus continu. En rétrospective, on peut reconnaître et découper des périodes plus intenses. Au Québec la décennie 60 a été une période incontestable de modernisation ; cette découpure n'est pas arbitraire. Il y a eu rupture dans l'évolution. L'expression Révolution tranquille s'est révélée bien autre chose qu'un slogan électoral. Le changement a été radical et soudain, qui sont deux des trois traits de toute révolution. Le troisième étant la violence.

L'idée de modernisation connote aussi l'idée de progrès. Y a-t-il eu progrès ? Je réponds d'abord ceci, parlant pour moi-même, donnant mon propre sentiment, comme dit si bien l'expression française : « *Voici mon sentiment là-dessus* ».C'est-à-dire : non pas mon émotion, mon jugement abstrait, mais le fond de ma pensée. Voici donc mon sentiment : je ne retournerais pas en 1960, dans aucun domaine. Ni en religion, ni en politique, ni en école, ni même en âge. Pas nostalgique pour cinq *cennes*. Selon une remarque du Père Carré[24], je dis que le temps présent est justement un présent, un don.

---

24. Ambroise-Marie Carré, V*ient le temps de chanter*, journal des années 1991-1993, Cerf, 1994. Notons que le Père Carré est octogénaire.

Si l'on comprend *modernisation* comme synonyme de *progrès technique*, on doit donc dire qu'elle se poursuit sans cesse. Mais les mots *moderne* et *modernisation* veulent aussi dire : qui tient compte de l'évolution récente. En ce sens, faut-il remettre en cause ou redéfinir le rôle de l'État et de sa fonction publique en regard de celui qu'on leur a attribué ces derniers trente ans ?

Y a-t-il eu modernisation de la pédagogie ? Je réponds oui, en ce sens qu'il y a eu adoption rapide et massive des instruments que la technologie rendait disponibles. Adoption également des méthodes et des courants de pensée pédagogiques contemporains, principalement américains. Cette forme de modernisation n'a pas constitué un progrès. Le niveau des apprentissages s'est dégradé dans bon nombre de disciplines : français, anglais, histoire, géographie.

Le niveau de l'éducation (au sens de bienséance, distinction, politesse, savoir-vivre, respect des lieux et de l'équipement) s'est dégradé lui aussi. L'absence d'évaluation et de sanction (je parle de sanction pédagogique) a *déresponsabilisé* les élèves.

J'ai dit plus haut que la création du ministère de l'Éducation et, plus généralement, la prise en charge par l'État de sa responsabilité globale sont un acquis positif de la modernisation du système éducatif. Mais ce changement s'est accompagné d'une omniprésence de l'État, d'une volonté centralisatrice en expansion constante. Au lieu de se dégager progressivement, au fur et à mesure que ses partenaires développaient leur capacité propre, l'État a resserré son emprise, multiplié les normes et les contrôles.

Parallèlement, les centrales syndicales ont cherché à étendre leur emprise et à s'emparer du pouvoir sur la pédagogie elle-même. Elles ont *encarcané* la pédagogie dans la prison des conventions collectives.

Les facultés des sciences de l'éducation ont imposé leur jargon et leur protocole de recherche.

Je termine par trois brèves remarques :

• Ce que nous avons appelé la Révolution tranquille est un événement datable. Cela ne veut pas dire qu'il s'est produit spontanément. Il avait été préparé souterrainement. Un immense travail de réflexion s'était effectué durant la décennie 50. Pensons au journal *Le Devoir* ; à l'action syndicale des Gérard Picard et Jean Marchand ; à *Cité Libre* ; à l'Institut canadien des affaires publiques ; aux Commissions Perras, à Montréal, et Lafrenière, à Laval, en ce qui touchait la réorganisation du cours classique. Pensons surtout à la *Commission d'enquête sur les problèmes constitutionnels*, présidée par le juge Thomas Tremblay.

• En affaires humaines, l'image du « *retour du balancier* » est fallacieuse. Les « restaurations » (au sens où l'on parle de la Restauration monarchique en France) sont des leurres. Un retour mécanique « *en arrière* » n'est ni souhaitable ni d'ailleurs possible.

• Nous sommes à la veille de craquements dont les effets seront (commencent à être) autrement plus larges et profonds que ceux qui ont marqué la Révolution tranquille.

Dans le volet du dépliant intitulé *problématique*, je lis ceci : « *Parmi les outils de développement dont la Révolution tranquille a doté le Québec, figurent au premier rang un État moderne et une administration publique à laquelle on reconnaît compétence, intégrité, loyauté. Aujourd'hui, le discours mondial sur la crise des finances publiques met en exergue le thème de la réduction de la taille de l'État* ».

Le problème avec l'État, ce n'est pas d'abord sa *taille*, c'est son manque de courage politique, son assujettissement au court terme, son copinage avec les sondages. Démocratie au sonar.

En ce qui touche l'Éducation et son rapport avec *l'emploi*, il faut mettre résolument l'accent sur la formation générale, à tous les niveaux, et dénoncer l'obsession selon laquelle le système scolaire doit assurer un emploi à tous les élèves dans le quart d'heure qui suit la fin de leurs études, peu importe leur niveau.

Le rapport des Sept Sages

Pourquoi l'école ? Imaginons une société sans école d'aucune sorte, à aucun niveau. Allons plus loin : imaginons une société où personne n'enseigne rien à personne. L'idée ne résiste pas deux secondes. Les animaux montrent des choses à leurs petits ; les parents aussi, dès les premières heures de l'existence de leurs enfants.

Dans les sociétés antiques, un bagage minimum de connaissances, d'expérience et de comportements sociaux était transmis par commandement, par osmose, par imitation, par initiation.

Chez les Grecs, les sophistes furent, autant que l'on sache, les premiers professeurs à proposer leur savoir contre rémunération.[25] Pensons aussi à l'Académie de Platon et au Lycée d'Aristote. Si loin que l'on remonte dans l'histoire, on remarque que l'école est l'instrument qu'une société se donne pour se perpétuer, pour se reproduire, pour se développer.

Il s'agit bien d'une technique collective de reproduction de la société à un moment donné de l'évolution humaine. Les inventions, les révolutions techniques, intellectuelles, politiques, qui ont changé la face des sociétés au cours des siècles, ont toutes été réalisées en dehors de l'école : de « *l'invention* » du feu à celle de l'allumette et de l'ampoule électrique ; des lacets à ferret, au moteur à quatre temps ; de l'imprimerie à l'ordinateur ; du troc au capitalisme ; du Bœuf Apis au christianisme, les institutions, les religions, les aménités et les horreurs de la technique ont été inventées et conçues en dehors de l'école.

---

25. Henri-Irénée Marrou, *Histoire de l'éducation dans l'antiquité*, Calmann-Lévy, 1958, p.85.

Mais toujours aussi, l'école a annexé la production extérieure à elle-même et s'est chargée de la transmettre aux jeunes. L'école n'arpente pas le territoire ; elle diffuse les cartes du territoire. L'école n'a inventé ni la grammaire, ni la géométrie, ni les Fables, ni la physique, ni la pénicilline. Faut-il mentionner que l'école n'a pas « inventé » l'histoire ou la géographie ? L'école décrit et rappelle les aventures de César ou de Napoléon ; elle profite des voyages de Marco Polo, de Magellan ou de Christophe Colomb et, ces années-ci, des voyages intersidéraux de Pioneer II, qu'elle n'a ni inventé, ni lancé. On pourrait continuer longtemps à énumérer tout ce que l'école n'est pas, ne fait pas, n'invente pas, ne maintient pas. Mais alors, qu'est-ce que l'école ? Pourquoi l'école ? Quel est le sens d'une réforme de l'école ?

D'emblée, le rapport des *Sept Sages* déclare que « *c'est au monde du XXIe siècle que l'école québécoise doit préparer les jeunes* ». Il s'agit là à la fois d'un truisme et d'un leurre. D'une part, en effet, il est bien évident que les élèves qui sont présentement dans les écoles et *a fortiori* ceux qui y entreront dans les six prochaines années vont passer leur vie au XXIe siècle. D'autre part, on n'enseigne pas l'avenir. Or, personne ne sait quel visage aura le XXIe siècle, pas plus que les grosses têtes du dernier demi-siècle et même du dernier quart de siècle n'ont vu venir l'écroulement de l'ex-URSS, l'embrasement de l'ex-Yougoslavie, le génocide du Rwanda, pour ne rien dire des bouleversements déjà inscrits dans la nature des nouvelles technologies. Pour tout dire, nous sommes un peu fatigués d'entendre invoquer l'école de demain, la famille de demain, l'Église de demain. On pourrait peut-être penser un peu à l'école de cette année. Après tout, chaque élève ne fait qu'une fois dans sa vie sa première année d'école ; qu'une fois dans sa vie sa cinquième secondaire.

Après le couplet attendu sur « *l'internationalisation et la mondialisation ; sur l'explosion des connaissances et le déve-loppement accéléré des technologies ; sur la complexification de la vie en société »*, le rapport affirme que *« 50 %, et bientôt 60 % des nouveaux emplois, exigeront 17 années de scolarité »*. En clair, dans le système scolaire actuel, trois ou quatre années à l'université.

Dans le chapitre consacré aux finalités et aux rôles de l'école, on retrouve les considérations accoutumées dans ce genre de littérature. Personne n'a guère à dire là contre. On y trouve même la mention des trois tendances qui marquent l'école que nous nous sommes faite, l'école que nous connaissons : l'encombrement des rôles ; la surcharge des programmes ; la maigreur du calendrier. On dénonce même, en passant, le *« corset »* des organisations technocratiques qui étouffe l'initiative et même la passion des enseignants. On ne trouve toutefois aucune allusion au carcan des conventions collectives de travail.

La section consacrée aux profils de formation retient six grands domaines d'apprentissages :
- compétences méthodologiques ;
- langue ;
- mathématiques ;
- univers social ;
- science et technologie ;
- éducation physique et domaine artistique.

Que pouvez-vous dire contre cette catégorisation ? Elle court les rues de tous les volumes qui parlent d'éducation. Cela n'est pas un reproche. Mais en voici un, page 26, on lit ceci : « *Au sortir du primaire, l'élève doit avoir la capacité de mener une conversation (en anglais) sur des sujets de la vie quotidienne »*. Quand on connaît la capacité des élèves en anglais, langue seconde, à la fin de la 5e secondaire, on trouve cet objectif utopique. Il va falloir prendre les moyens d'assurer la chose, en français d'abord

Les remarques qui accompagnent chacun de ces six domaines insistent avec force sur la nécessité des exercices.

Cette insistance, cette redécouverte, est un des bons points du rapport. Alain disait que « *seuls les militaires savent instruire* ». Il ne le disait pas ironiquement. *More drill, o Lord, more drill.* Contrairement à certaines critiques que nous avons pu lire, nous ne trouvons pas insignifiant qu'un élève, à la fin du primaire, comprenne le fonctionnement d'un grille-pain, c'est-à-dire les lois physiques qui y sont appliquées, et ait été amené à mémoriser la table de multiplication.

Les Sept Sages n'avaient pas pour mandat de rédiger les programmes d'études du primaire et du secondaire. Aussi bien, le comité disposait de cinquante jours et de cinquante pages pour s'exécuter. Excellente contrainte ! Autrement, cela aurait pris dix ans et dix milles pages. On a fait des gorges chaudes au sujet de ce délai. Nous n'entrons pas dans la rigolade. Nous avons affirmé qu'il n'est pas si compliqué qu'on se complaît à le dire de rédiger un programme d'études ; nous étions d'accord avec Mme Lucienne Robillard qui disait que les analyses ne manquent pas. Nous mettons en fait que sept personnes compétentes peuvent fabriquer un programme d'études dans n'importe quelle discipline, à deux conditions :

- qu'on les enferme en conclave pendant sept jours ;
- qu'on les oblige à livrer la marchandise.

Si l'on se met à consulter l'ensemble des professeurs de français, par exemple, et donc à négocier le sexe du chat (on aura droit à chat/chatte, systématiquement), il arrivera ce qui est arrivé dans le cas du français au collégial : le chien court après sa queue pendant dix ans (10 ans) et finit par se coucher, épuisé, la queue toujours intouchée.

Ce qui est difficile, c'est de se faire une idée de l'école à un moment donné. « *Cela suppose un certain décalage dans le temps : il faut d'abord qu'une civilisation atteigne sa propre forme avant de pouvoir engendrer l'éducation qui la reflétera.* »[26] Certains faits se sont mis sur la route de la réforme

---

26. ibid., p. 17.

scolaire de la décennie 60. Certains étaient de notre fait à nous. La fièvre nationaliste, par exemple, qui a brûlé l'apprentissage de l'anglais comme langue seconde. D'autres faits n'étaient pas de notre fait. Mentionnons : la pilule, l'éclatement de la famille, Vatican II, Mai 68, etc. Pour ne rien dire du transistor et de la musique. Bref, c'est l'énorme houle d'un changement de civilisation sans précédents dans l'histoire qui est venue soulever la petite houle que nous avions nous-mêmes provoquée et entretenue avec, d'ailleurs, un enthousiasme innocent, comme il convient à une société en gésine. Bien ! *« Le vent se lève, il faut tenter de vivre. »* C'est un obscur professeur d'anglais qui a dit cela. Il s'appelait Mallarmé.

Les Sept Sages ont fait un travail honorable ; nous venons de le souligner. Par contre, nous déplorons quatre grands silences :

- silence sur la formation des maîtres ;
- silence sur l'évaluation ;
- silence sur l'emprisonnement de la pédagogie et de la vie de l'école dans le carcan des conventions collectives de travail ;
- silence sur le calendrier scolaire.

Les considérations que l'on trouve dans le rapport des Sept Sages sur la nature et la finalité de l'école se retrouvent dans des documents antérieurs du ministère de l'Éducation, et de quelques centaines de colloques plus ou moins annuels, plus ou moins « *nationaux* », depuis le temps qu'il se publie des livres verts, jaunes ou blancs sur la réforme de la réforme. Chacun des ministres successifs s'est attelé à cette besogne. Chacun voulant laisser sa cicatrice dans l'histoire scolaire du Québec. Ailleurs aussi, en France comme aux États-Unis. Si l'école est toujours aussi mal en point, il doit bien y avoir une raison. Une raison d'ordre général nous semble avoir été formulée brièvement par Henri-Irénée Marrou, dans l'ouvrage déjà cité : *« L'éducation est la technique collective par laquelle une société initie sa jeune génération aux valeurs et aux techniques qui caractérisent la vie de sa civilisation. L'éducation est donc un phénomène secondaire par rapport à celle-ci (la civilisation) dont, normalement, elle représente comme un résumé et une condensation. (…) Cela suppose évidemment un certain décalage dans le temps : il faut d'abord qu'une civilisation atteigne sa propre forme avant de pouvoir engendrer l'éducation qui la reflétera* ». On peut penser que ce fut le cas du *Ratio studiorum* instauré par les jésuites et transplanté au Québec sous le nom de cours classique. En fait, le cours classique des grands-pères n'existait déjà plus quand la réforme scolaire s'est implantée[27]. Le *Rapport Parent* a enregistré le fait à sa façon. Mais en attendant que la civilisation atteigne sa forme, l'école continue de rouler. Nous n'espérons pas grand-chose des États généraux qu'on nous annonce. Nous en avons tenu, à très grands frais, il n'y a pas si longtemps. Ces rassemblements sont une industrie qui profite davantage aux hôtels et aux **communicatores magnifici** qu'aux écoles et aux élèves. En plus de servir d'alibi aux politiciens pour différer la solution des problèmes les plus criants.

---

27. À ce sujet, voir François Ricard, *La Génération lyrique*, Boréal, 1992, le chapitre intitulé « Les bienfaits de la transition ».

Le rapport de la centrale de l'enseignement du Québec

L'étude de Jocelyn Berthelot[28], demandée par le 33e congrès de la Centrale de l'enseignement du Québec, et présentée au 34e Congrès (26-30 juin 1994) est ambitieuse. Il s'agit d'un document de 246 pages, dont une trentaine pour la bibliographie. La bibliographie, d'ailleurs, ne remonte pas très loin « en arrière ». Fallait toujours pas remonter à Montaigne ou à Aristote ! Après tout, l'homme, le petit d'homme commence environ vers 1960.

L'auteur fait d'abord un survol de l'histoire scolaire du Québec, de la Conquête jusqu'au 12 septembre 1994, pour prendre une date symbolique : la réforme scolaire fut lancée à la suite de l'élection du Parti libéral du Québec, en 1960 ; la reprise du pouvoir par le Parti québécois pourrait marquer la remise en chantier d'un système qui a maintenant trente-quatre ans. Au demeurant, et contrairement aux *rectores magnifici,* nous avons écrit que les projets de réforme de Mme Lucienne Robillard, repris par M. Jacques Chagnon, ont été des opérations cosmétiques.

De son survol historique, l'auteur dégage deux caractéristiques dominantes. « *Deux mutations majeures semblent caractériser l'évolution de l'éducation au Québec. La première s'est produite vers le milieu du XIXe siècle, après l'échec du projet impérial et celui des Patriotes ; elle a vu s'instaurer un modèle éducatif théocratique qui, malgré des changements nombreux, dura près d'un siècle. À partir de 1875, les Églises chrétiennes contrôlent l'ensemble du système éducatif. (...) Ce*

---

28. *Un horizon démocratique pour l'école et le collège.*

modèle est surtout présent chez les catholiques, où les clercs dirigent la majorité des établissements d'enseignement et où l'autorité religieuse participe directement aux structures supérieures de l'éducation. »

« La deuxième mutation se confirme avec la Révolution tranquille. Les contradictions internes exacerbées par l'évolution rapide de la fréquentation scolaire et par la modernisation de l'après-guerre ouvrent la voie à un modèle que l'on peut qualifier de libéral. Il est fondé sur la réussite individuelle, sur l'égalité des chances, sur la valeur économique et sur l'intervention de l'État. Ce modèle apparaît aujourd'hui en redéfinition, le consensus relatif des objectifs de la réforme s'étant effrité »(p.8).

Dans un deuxième chapitre, l'auteur entreprend une « *réflexion sur demain (qui) se situe dans le prolongement de la longue marche démocratique et plaide en faveur d'un humanisme renouvelé. Un humanisme fondé sur la dignité des personnes, sensible à la diversité du genre humain et conscient de l'urgence écologique* ». Il invite à élargir la démocratie, à maîtriser les changements *scientifiques et techniques, à nous ouvrir au monde, à démocratiser le travail et à assumer les façons nouvelles de vivre* » (p.59). Là-dessus, le rapport de la Centrale de l'enseignement du Québec recoupe celui des Sept Sages.

Le troisième chapitre identifie quatre modèles qui « *alimentent les débats qui ont cours sur la scène éducative québécoise* » *(p. 102)*.

- une école industrielle ;
- une école marchande ;
- une école traditionnelle ;
- une école nouvelle.

Comme on pouvait s'y attendre, l'auteur nous classe parmi les tenants de l'école traditionnelle. Nous sommes un « *quatuor ancien* ». Il est bien entendu, en effet, que les idées, c'est comme le yaourt : c'est meilleur avant telle date. L'auteur concède cependant que « *l'horizon humaniste (du modèle traditionnel), sa critique de l'utilitarisme dominant, sa dénonciation de l'anti-intellectualisme ambiant, sa réhabilitation des sciences humaines et d'une langue de qualité sont autant d'éléments qui méritent considération* » (p. 107). C'est toujours ça de pris, comme disait ma grand-mère, piratée par Ray Ventura et son orchestre.

L'auteur poursuit en disant qu'il n'est « *guère de réconciliation possible entre les principes qui fondent chacun des modèles qui précèdent.(…) L'avenir est création. Il n'y a plus de finalisme : ni Dieu, ni l'histoire, ni le progrès. Nous sommes* **vaccinés** *(notre souligné) contre tous les projets totalitaires. Cela ne veut pas dire qu'il ne faille pas formuler de projet sur le monde, parier sur l'avenir. L'éducation se nourrit toujours d'un idéal et la démocratie est de ceux-là* » (p. 110).

L'auteur affirme donc « *qu'il n'y a plus de finalisme* ». Ce terme est équivoque. Dans le *Vocabulaire technique et critique de la philosophie*, de Lalande, on trouve ceci : « *a) Doctrine des causes finales, providentialisme ; b) antériorité et supériorité de la tendance par rapport à l'action mécanique* ». On ne voit pas bien en quoi « *l'avenir comme création* » s'oppose au finalisme, celui-ci n'étant « *plus ni Dieu, ni histoire, ni progrès* ». Avenir, création, c'est des grands mots. C'est quand, l'avenir ? Que veut dire : « *création de l'avenir* » ?

L'affirmation de l'auteur est d'autant plus équivoque, qu'en conclusion de sa réflexion, il déclare : « *La crise de l'école apparaît comme l'expression des tensions et des incertitudes qui la tiraillent et l'affligent d'un malaise profond. Les uns accusent l'école d'être inerte, de refuser le changement ; les gens du milieu ont plutôt l'impression d'un perpétuel mouvement, une mini-réforme n'attendant pas l'autre. Les slogans et les gadgets se succèdent au gré des modes passagères.(…) De* **finalités** *(notre souligné), il n'est guère question. C'est pourtant elles qui devraient inspirer toute*

113

l'action éducative » (p. 215). Dans son dernier paragraphe, l'auteur écrit : « *C'est avant tout dans la conviction qu'il faut à la fois changer la société et changer l'école que nous avons entrepris la présente réflexion. C'est avec l'espoir (que cette réflexion) trouvera son prolongement concret dans l'action démocratique, syndicale et pédagogique que nous l'achevons* » (p. 216).

Nous ne sommes pas tout à fait sûrs que l'humanité soit vaccinée contre tous les projets totalitaires. « *Une démocratie sans valeurs se transforme facilement en un totalitarisme déclaré ou sournois, comme le montre l'histoire* » (Jean-Paul II, *Centesimus annus*). Pas besoin de s'appeler Jean-Paul II pour écrire cela. Il suffit d'avoir, disons, 50 ans, ou d'avoir un peu regardé la télévision. L'auteur, il est vrai, déclare qu'il n'y a plus « *ni Dieu, ni histoire, ni progrès* ». Proclamer la mort de Dieu, après Nietzsche, est un peu redondant, d'abord, et très prétentieux, ensuite. En Mai 68, un graffiti parisien se lisait : « *Dieu est mort. Nietzsche aussi* ». Tenez ! Concédons que Dieu est mort ; qu'il n'y a plus ni histoire ni progrès. Il reste seulement à « *changer à la fois la société et l'école* ». Sans toucher aux « *droits acquis* », évidemment. Notre propos est plus modeste. Nous y reviendrons.

Changer la société ! « *Il faut repenser les lieux communs* », disait Unamuno, « *c'est le seul moyen de se délivrer de leur maléfice* ». Y a-t-il quelqu'un dans la salle, disons quelqu'un qui possède une petite idée de l'histoire du seul XXᵉ siècle ? Ce quelqu'un a déjà entendu parler de « *changement de sociétés* ». En (ex)URSS, en Chine, etc. Au Québec même, tel était le slogan de « *l'équipe du tonnerre* ». En fait, la société **et** l'école ont changé. Mais ce n'est pas l'école qui a changé la société. C'est plutôt la société qui a changé l'école. C'est tout à fait le phénomène observé par Henri-Irénée Marrou dans son *Histoire de l'éducation dans l'antiquité,* que nous citions plus haut.

Puis donc qu'il n'y a plus ni Dieu, ni histoire, ni progrès, ni « *finalisme* », il reste l'horizon démocratique. C'est commode, un horizon : ça recule à mesure qu'on avance. Ça coupe pas carré, comme le redoutaient les marins de Christophe Colomb. Hé bien ! « *Quelles sont donc (les) quelques valeurs qui pourraient inspirer un projet éducatif démocratique ?* » se demande l'auteur (p.113).

S'inspirant de T. Todorov *in Face à l'extrême*[29], l'auteur nomme trois valeurs fondamentales : liberté et autonomie ; égalité ; fraternité moderne. On peut déjà se demander ce que ça sera, ce que ç'a déjà été, ce que c'est, une « *fraternité* » sans Père. Dans le dernier chapitre du document, il applique ces trois valeurs à l'école et au collège, sous le titre : U*n projet démocratique pour l'école et le collège.*

Avant de terminer cette présentation du document de la Centrale de l'enseignement du Québec, il convient de saluer cette analyse stimulante du passé et du présent de la condition scolaire au Québec. De signaler en particulier l'introduction qui sert de synthèse bien nouée à l'ensemble de l'étude.

Il va de soi, cependant, qu'on n'y trouve pas la moindre critique de la « culture » syndicale qui a inspiré la Centrale de l'enseignement du Québec durant les trois dernières décennies.

---

29. Seuil, 1991.

Conclusion

Nous n'envisageons pas de changer la société. Nous ne souhaitons même pas d'États généraux sur l'éducation et autres *rabouillages* mur à mur et de fond en comble. Notre propos était plus modeste : il a consisté à accompagner le débat sur l'école engagé par les projets de réforme des ministres Robillard et Chagnon.

En aurons-nous connu, des ministres de toutes les éducations ? En aurons-nous connu des rapports arc-en-ciel ? Et voici que les deux ministres qui ont piloté les projets de réforme que nous avons nous-mêmes commentés et accompagnés sont maintenant tombés dans la géhenne de l'oubli « *démocratique* », ou devenu **back bencher** de l'Opposition. *Combien de marins, combien de capitaines*, se sont ainsi perdus au fond de l'océan des urnes ?

Quant à nous, artisans, chacun à notre façon, de la réforme scolaire des années 60, témoins des multiples tentatives de réforme qui se sont succédées à compter de 1970, spectateurs des États généraux de 1986 ; lecteurs des innombrables et coûteux rapports annuels du Conseil supérieur de l'éducation ou du Conseil des collèges, nous sommes de ceux qui pensent que ce ne sont pas les analyses qui manquent ou qui ont manqué.

Nous pensons par contre qu'il y aurait profit à appliquer un certain nombre de mesures que nous appelons périphériques. Des mesures qui ne coûteraient rien. Rien que du courage. Par exemple, l'imposition d'une heure quotidienne d'étude obligatoire pour tous les élèves. Nous pensons qu'il faut resserrer le calendrier scolaire. Qu'on relise, à ce sujet, le chapitre tragicomique de Balthazar et Bélanger dans *L'École détournée*[30].

---

30. Boréal, 1989.

117

L'invocation incantatoire de la démocratie ne tiendra jamais lieu de courage politique ni de rigueur intellectuelle.

Autant les Sept Sages que la Centrale de l'enseignement du Québec présentent leur rapport respectif comme des points de départ pour engager un large débat public. On voit mal comment ne pas tomber d'accord, par exemple, avec les six domaines d'apprentissages retenus par les Sept Sages. On voit mal comment ne pas être d'accord avec les valeurs d'auto-nomie, de liberté, d'égalité et de fraternité (moderne) qui délimitent l'horizon démocratique du rapport de la Centrale de l'enseignement du Québec. Mais nous répétons que ce ne sont pas les déclarations omnibus qui changeront quoi que ce soit.

Il n'est pas indifférent de s'arranger pour savoir si les principaux agents de l'éducation veulent ou ne veulent pas d'une heure quotidienne d'étude obligatoire pour tous. Il n'est pas indifférent de savoir si l'on veut vraiment améliorer l'ap-prentissage du français par l'instauration de moyens qui ont fait leur preuve. Il n'est pas indifférent de sortir la pédagogie du carcan des conventions collectives pour l'élaboration, l'admi-nistration et l'interprétation desquelles on dépense des millions de dollars chaque année. Il y a là beaucoup de millions de dollars recyclables. En fait, les seuls millions disponibles, compte tenu de l'état des finances publiques. D'ores et déjà, « *le Québec consacre des ressources énormes à son réseau public d'éducation ; toutes proportions gardées, nous y engloutissons deux fois plus d'argent que les Allemands ou les Japonais. Pourtant, nous avons aussi le taux de décrochage le plus élevé du monde industrialisé* » (*La Presse*, 8 septembre 1994). Enfin, et pour faire bref, il n'est pas indifférent d'examiner l'aménagement du calendrier scolaire.

Oh ! Il resterait bien encore une petite question à soulever : celle de l'égalité. Le document de la Centrale de l'ensei-gnement du Québec propose de « *démocratiser la réussite* » (p.145). Il y a quelques années, la même Centrale parlait de démocratiser l'intelligence. Entre-temps. M. Yvon Charbonneau aura été élu membre de l'Opposition.

Ben ! Dès le lendemain de l'élection, Mme Lorraine Pagé reprenait le refrain *démocratique* contre *l'école privée* . Ce qui presse le plus, c'est l'étouffement de l'enseignement privé. C'était dans *Le Soleil*. Son papier est prêt depuis qu'elle est au monde ! Mme Lorraine Pagé écrivait au Premier ministre désigné de ne pas oublier « *ce pelé, ce galeux, d'où vient tout le mal* ». Il n'y a pas de risque : du temps qu'il était ministre des finances, M. Parizeau avait su comment faire, couché sur le divan de son ministre de l'Éducation d'alors.

Quant à y être, faisons-nous plaisir ! Le pelé, le galeux, tout ce qu'il a fait de mal, et tout le mal qu'il tente de continuer à faire, c'est de tondre « *de ce pré la largeur de sa langue* ». Un pré de moines, en plus ! En vérité, vérifiée par des vérificateurs externes, l'enseignement privé n'est même pas aussi noir que l'âne du Bonhomme, lequel, d'ailleurs, n'était *noir* que parce qu'il était *misérable* : « *Selon que vous serez puissant ou misérable, les jugements de Jacques, Camille, Yvon ou Lorraine vous rendront blanc ou noir* ». Tel quel ! Vérifiez.

En vérité, chaque citoyen-contribuable qui inscrit un enfant dans *le privé*, commence par payer au Lion cent cennes dans la piastre. Après quoi, il paye trois ou quatre mille piastres par année pour l'herbe dérobée aux moines. Faut aimer l'herbe des autres !

Démocratiser la réussite, qu'est-ce que cela peut bien vouloir dire ? Personne n'est pour l'échec de qui que ce soit. Mais qu'est-ce que l'échec ? Qui peut se proclamer « *réussi ou raté* ? » Faudrait-il démocratiser la taille des Québécois ? Car enfin, il y en a qui sont plus petits ou plus gros qu'ils ne souhaiteraient. Mais quels seraient les critères ? Les canons de la Haute Mode ?

En fait, il faudra démocratiser la loterie génétique ; démocratiser le génie et le caractère ; démocratiser le « *travail* ». Nous

119

voulons dire : le travail de celui qui exerce le métier d'élève. En fait, il faudrait démocratiser la liberté, l'exercice de la liberté. Sacré paradoxe : on va vous obliger à être libres ! Quand on parle d'éducation, c'est jusque là qu'il faut creuser. L'école, dans la pureté de son idée multimillénaire, consiste justement à souscrire à l'idée d'Alain : *« Le seul lieu où l'esprit corrige l'esprit »*. Chaque esprit, selon sa propre liberté. Tous les élèves d'Alain n'étaient pas classés premiers de classe. Les premiers de classe, d'ailleurs, ne sont pas toujours, et même rarement, les premiers de vie.

Assurer l'égalité des chances est déjà un défi insurmontable, puisque, pour la garantir, il faudrait refaire la société. Marcel Conche, que l'on ne saurait taxer ni de conservatisme, ni d'inféodation théocratique écrivait : *« Une société égalitaire (il ne dit pas égalitariste) **doit** être aristocratique, non en ce sens qu'il y aurait des privilégiés, mais en ce sens qu'elle ne peut, ni ne doit confier n'importe quel rôle ou n'importe quel emploi à n'importe qui, mais seulement au meilleur »*[31].

Après tout, horizon démocratique ou pas, ce n'est pas n'importe qui, dans une société et une génération données, qui peut être premier ministre, ministre, député. Ce n'est pas n'importe qui non plus qui peut être plombier ou électricien. Ni non plus champion olympique. Il faut le vouloir. Il faut aussi quelques autres ingrédients. Il y a une facilité, une flagornerie, une démagogie vicieuse à toujours parler d'école en terme de fréquentation du plus haut niveau du système. Le rapport des Sept Sages propose dix-sept ans de scolarité pour 60 % de la population. Au nom de l'économie, évidemment. Pourquoi pas dix-huit ?

Time Magazine du 29 août 1994 publie un chapitre d'un livre intitulé *In Defense of Elitism*, dans lequel on lit ceci : *« In an egalitarian environment the influx of mediocrities relentlessly lowers the general standards at colleges to levels the weak ones*

---

31. *Le Fondement de la morale*, éditions de Mégare, 1992, p.92.

can meet ». L'auteur va jusqu'à proposer de réduire de moitié le nombre des finissants des *high schools* qui sont présentement admis dans les *colleges*. Il y aurait profit pour tout le monde, dit-il, à orienter les élèves en question vers des écoles de métier et l'apprentissage en milieux de travail (*Vocational training in high school and on-the-job training at work*).

On a écrit qu'en « *théocratie, l'éducation est un prétexte* ». En démocratie libérale, elle est quoi ? Elle bafouille. Elle bégaie.

L'école, pour quoi faire ? Elle est mal en point, on le sait. Même la Centrale de l'enseignement du Québec en convient. Ce qui ne l'empêche pas de négocier des conventions à la troisième décimale à propos de l'ancienneté, et de la clause décès-du-grand-père : un jour de congé, si on ne l'aimait pas ; deux jours, si on l'aimait bien. En fait, c'est l'idée même de démocratie qui aurait besoin d'être revisitée. Ce voyage touristique est au-delà de nos moyens. Seul un De Gaulle pouvait se permettre, par Malraux interposé, de dire : « *La vraie démocratie est devant nous, non derrière : elle est à créer* »[32]. En ce qui a trait à l'école, en tout cas, « *démocratiser la réussite* » n'exige pas que tout le monde se retrouve à l'université, tôt ou tard. Pour y faire quoi ? Pour y apprendre quoi ? Le français du primaire, voyons !

Dans l'un ou l'autre des textes réunis dans ce volume, nous proposons notre opinion sur ces (petites) questions. Nous le faisons avec détachement, ce qui ne veut pas dire indifférence. Nous sommes un « *quatuor ancien* ». Ancien ne veut rien dire en ces matières. Nous aurions pu citer Aristote ou Quintilien ou Plutarque, cinquante fois, sans donner la référence, et personne ne s'en serait aperçu. Au demeurant, nous ne sommes inféodés à aucun « appareil » politique, syndical ou patronal. Nous sommes fiduciaires des petits d'hommes.

---

32. André Malraux, *Les Chênes qu'on abat*, Gallimard, 1971.

Post-scriptum

Dans les pages qui précèdent, nous avons accompagné la réforme du niveau collégial et le projet de réforme des niveaux primaire et secondaire. La réforme du collégial a reçu la sanction du gouvernement de M. Daniel Johnson. La réforme des niveaux primaire et secondaire n'est pas encore sanctionnée. Le dernier geste de M. Jacques Chagnon, à ce sujet, a consisté à signer le *Rapport des Sept Sages*, le 16 juin 1994. Mais ce *Rapport* se présente comme un document de réflexion destiné à alimenter un « *large débat public* ». Entre-temps, un nouveau gouvernement a été élu et un nouveau ministre de l'Éducation a été nommé, et quelque huit mois se sont écoulés depuis la publication de notre dernier article dans *La Presse*, le 8 juin 1994. Bien !

Dans ce *post-scriptum*, en ce qui a trait au sujet général de nos interventions, c'est-à-dire l'institution scolaire, nous allons dégager le sens des principaux commentaires publiés, depuis, sur la réforme du collégial et le projet de réforme du primaire et du secondaire, en nous attardant sur un phénomène bien connu, mais qui a pris un certain relief en novembre dernier : les élections scolaires et l'avenir des commissions scolaires.

En ce qui a trait aux prochains huit ou dix mois, nous dirons un mot sur le retour du vaisseau fantôme qui bat pavillon des États généraux sur l'Éducation.

Revue de presse

En mai 1993, nous écrivions que des réformes majeures s'imposaient au niveau collégial et nous formulions des suggestions concrètes à cette fin[33]. Le milieu nous semblait mieux disposé que jamais à les accueillir, mais le rendez-vous a été manqué. Nous l'avons noté sans amertume, mais sans complaisance. Ce faisant, nous prenions le risque de nous voir contredits par l'évolution positive « *d'un renouveau nécessaire et réclamé »,* selon une déclaration de la ministre Lucienne Robillard. Nous ne nous attendions pas toutefois à voir nos appréhensions les moins optimistes confirmées aussi rapidement et aussi inexorablement, comme en font foi les dizaines de déclarations ou d'articles publiés dans les journaux par des élèves, des professeurs, des journalistes, des organisations professionnelles.

Parmi ces déclarations, on en trouve qui viennent, par exemple, de la Fédération des cégeps ou encore, de la Conférence des Recteurs. Celles-là sont généralement favorables, complaisantes, quand elles ne sont pas carrément courtisanes. Dans le cas des *rectores magnifici,* l'encre du document ministériel n'était pas encore sèche, qu'ils s'empressaient d'accorder une *bénissure urbite et orbite* à la réforme tant attendue. Ça se comprend : les universités n'ont jamais accepté les cégeps. Au train où va la « réforme », d'ici à cinq ans, les universités n'auront plus qu'à ramasser à la cuillère le secteur dit de « formation générale ». Ça leur ferait des étudiants en plus et des subventions équipollentes, sait-on jamais.

Quant aux prises de position des centrales syndicales, elles ressemblent au discours de l'Opposition après le dépôt du budget par le gouvernement, peu importe sa couleur : le discours est toujours le même ; il n'y a qu'à changer le nom du ministre et la date.

---

33. On nous accordera que, tout au long de nos interventions, nous avons toujours pris soin d'accompagner nos critiques de suggestions concrètes.

En ce qui a trait à la réforme du collégial, une des principales critiques dénonce la rapidité des changements imposés par la réforme. Autrement dit, son caractère d'improvisation. Vis-à-vis de ce jugement, nous voulons prendre nos distances. Qu'il s'agisse du collégial ou des autres niveaux d'enseignement, nous avons soutenu, tout au long de nos interventions, qu'il faut briser le mythe de la difficulté de préparer des programmes d'études. Le réflexe des professeurs et, davantage encore, celui de leurs organisations professionnelles, c'est d'invoquer la complexité de cette opération et la durée qu'elle requiert. Il s'agit là d'un alibi pour refuser les nécessaires ajustements dans les programmes, ou d'un amour désordonné de sa propre discipline d'enseignement. Il n'est évidemment jamais question de protéger la troisième décimale de vous savez quoi.

En fait, ce qu'il aurait fallu dénoncer et même rejeter, c'est la sujétion aux sciences de l'éducation[34]. La réforme du collégial consacre la domination des *jargonneurs*. Elle laisse croire qu'en remplaçant des connaissances et des objectifs par des compétences, des critères et des standards, et quoi encore, et dans quel ordre, on a fait une révolution. On n'a rien fait du tout ; on a sécrété un écran d'encre, comme font les seiches qui veulent se dérober, soit à leurs prédateurs, soit à leurs proies.

Que les sciences de l'éducation développent, comme elles peuvent, un vocabulaire spécialisé, comme les vraies sciences, cela va de soi. Les sciences humaines n'ont que les statistiques pour s'habiller pour le bal des sciences. Ou bien faire tapisserie. Ou bien parler jargon. Les médecins de Molière : peu de savoir, beaucoup de jargon. Ça attire toujours un peu l'attention quand même ! Justement, les sciences de l'éducation imposent

---

34. Soyons justes ! Quelqu'un a osé soulever le couvercle de la marmite des docimologues et des chercheurs ès sciences de l'éducation. Il s'agit de Normand Baillargeon, professeur à la faculté des Sciences de l'éducation de l'UQAM et chroniqueur de l'éducation au journal *Le Devoir*. On doit l'aimer chez les « chers collègues » !

leur vocabulaire et leur méthode aux praticiens qui se *désâment* dans les classes, et aux parents qui n'arrivent plus à accompagner l'apprentissage de la langue par leurs enfants, ou à comprendre leurs bulletins scolaires. Comme s'il fallait apprendre la cybernétique et adopter le langage des cybernéticiens avant d'avoir le droit de ciller des yeux. On aurait les yeux secs.

Illustrons davantage notre propos. La géographie est loin d'occuper la place qui lui revient dans le programme d'études du secondaire. Nous avons mis la main sur un questionnaire d'examens dans cette matière. Cela vient de la *Direction générale de l'évaluation et des ressources didactiques du ministère de l'Éducation*. Il s'agit du programme 092-314 : *Géographie du Québec et du Canada*. Nous sommes à peu près et même tout à fait sûrs que nous aurions échoué à cet examen, d'abord parce que nous aurions dû mettre une bonne partie du temps alloué à simplement comprendre les instructions. Docimologie, lecteurs optiques et crayons HB obligent. Pourtant, Dieu sait que nous sommes instruits en toutes sciences et quelques autres, comme disait le Rabelais ou le Pic de La Mirandole, lequel est situé, comme chacun sait, au nord du Fleuve sur une carte muette.

Les problèmes de l'école, répétons-le, sont bien connus. Bon nombre de leurs solutions sont également connues. Notamment des praticiens de l'école. En clair, des professeurs. Sauf quand ils sont en assemblées syndicales. À ce moment-là, ce ne sont plus des professeurs, des maîtres. Ils deviennent une *foule-à-voter-le-sexe-du-chat*[35].

Les solutions sont connues, disons-nous. Non pas toutes les solutions, non pas, surtout, LA solution. Mais enfin, bon

---

35. Voici l'affaire : dans une jardinière, un chaton se présente. « *Oh ! le beau petit chat* », dit l'un ou l'une. « *Oh ! la belle petite chatte* », dit l'une ou l'autre. Embarras de la Jardinière. Mais, après trois ans de collégial, on sait se tirer d'embarras. « *Prenons le vote* » dit la Jardinière. Il ne nous revient pas de suggérer une solution plus démocratique et non négociable.

nombre de solutions sont connues. C'est l'absence de volonté politique qui empêche de les appliquer, et c'est l'enfermement idéologique qui empêche de les nommer, ou bien qui en propose de fausses. Par exemple, la « ruée de lemmings » vers l'Université.

Le *Rapport des Sept Sages* affirme que « *bientôt, 60 % des nouveaux emplois exigeront 17 ans de scolarité* ». Cela veut-il dire quatre années d'université après le cégep ? S'agit-il de dix-sept années de scolarité sans interruption ? Disant cela, nous ne sommes pas « anti-intellectualistes ». M. Jocelyn Berthelot, tout subventionné qu'il est par la Centrale de l'enseignement du Québec, en convient. Mais nous savons que les enfants n'ont pas tous été créés et mis au monde pour aboutir à l'Université. Et s'y fabriquer une courte-pointe de certificats ayant les dimensions (comprenez : la durée) d'un baccalauréat ou d'une maîtrise.

Pendant que les esthètes et les amoureux de l'école républicaine et des musées d'art(s) s'excitent, et s'excitent d'abord contre l'école privée, en la confondant avec « l'école libre » de l'histoire scolaire européenne ; pendant ce temps, curieusement, aux États-Unis, il est question de resserrer la voie d'accès à l'université. Dans un livre récent, William A. Henry III écrit : « *In an egalitarian environment the influx of mediocrities relentlessly lowers the general standards at colleges to levels the weak ones can meet* »[36].

L'auteur ose défendre l'élitisme et écrire qu'un bon tiers des *colleges* devraient disparaître au profit de *high schools* professionnels et de formation en milieu de travail. Fort heureusement, l'auteur est mort, de mort naturelle, avant la publication de son livre.

Les projets de réforme lancés par la ministre Lucienne Robillard, repris à la sauvette par le ministre Jacques Chagnon,

---

36. *In Defense of Elitism*, Doubleday, 1994.

étaient au départ doublement handicapés. D'abord, ils étaient mal conçus. Aucune idée un peu haute de l'école n'inspirait la démarche, comme nous le disions, à l'époque. Aucun diagnostic global n'était porté, aucun rappel clair de la fin des cégeps et de l'école, aucune vision inspiratrice. On est demeuré assis dans le *parce que,* dans le *comment.* On s'est rabattu sur le discours technique. Discours d'ajournement.

Ensuite, les projets de réforme, compte tenu de la conjoncture politique, étaient des projets de fin de mandat. Des projets d'un gouvernement en sursis. Ils le sont toujours, en sursis, dans la « culture » politique dans laquelle nous baignons.

La réforme scolaire des années 60 disposait d'une vision globale. Ce qui caractérisait le *Rapport Parent*, en effet, c'est qu'il fournissait un cadre global à l'implantation de la réforme scolaire. De plus, et surtout, la société avait *renchaussé* depuis longtemps la volonté, le désir de refaire l'école. La volonté politique a su chevaucher cette volonté, ce désir. Elle a su correspondre et répondre à une volonté populaire manifeste qui se préparait depuis longtemps, souterrainement, comme tous les craquements sociaux.

Ne voyez-vous donc rien venir, ces années-ci, ces mois-ci, ô vous qui présidez « au destin de la nation » ? Vous siégez à l'Assemblée nationale, d'après ce qu'on nous dit. Pensez-vous que les énormes houles du Tiers-Monde feront toujours soigneusement le tour de l'île d'Orléans à Félix ? Et qu'on va faire danser le Canada avec une chanson de Dan Bigras, à la demande spéciale de Madame ?

Les deux conditions qui ont permis la réforme des années 60 ne sont présentement pas réunies : la volonté politique et la volonté populaire. Pour l'heure, l'attention politique ne porte plus du côté de l'école. Le besoin de la société à ce sujet est pourtant toujours le même. L'école, aujourd'hui, comme il y a trente ans, demeure l'instrument collectif déterminant pour la construction de la société. Mais l'opinion publique en est distraite par d'autres discours : discours sur le déficit, discours sur le XXIᵉ siècle, discours sur l'autoroute électronique, discours sur le référendum, discours sur le décrochage.

Discours sur les symptômes. Le discours sur le décrochage, c'est le discours sur un symptôme et non sur la maladie. Sortez les aspirines. Ça soulage l'électorat.

Les commissions scolaires

À propos d'aspirine, disons un mot sur les élections scolaires du dimanche, 20 novembre 1994. Il n'y a pas à redire : c'est la démocratie à son meilleur. Les locataires, les célibataires, les grabataires, ont droit de vote. À ce compte-là, nous faisons l'hypothèse que les parents, même les mono-parentaux, qui sont plus ou moins la moitié de la population ayant des enfants au primaire et au secondaire, ont droit de vote.

Les niveaux postsecondaires (cégeps et universités) sont organisés et financés autrement que les niveaux primaire et secondaire. Nous n'entrons pas dans la discussion de cet état de fait. Nous disons simplement que les niveaux postsecondaires relèvent de la société en général, tandis que les niveaux primaires et secondaires ont besoin (et c'est une des conséquences de notre histoire scolaire) d'être rattachés plus immédiatement à la famille par le relais des commissions scolaires.

Tous les quatre ans, les élections scolaires posent la même question, chaque fois plus lancinante : nos commissions scolaires, ont-elles encore un rôle utile à jouer ? Lequel ? Mais ce n'est pas parce qu'elles sont plus que centenaires (150 ans) qu'il faut les conserver ni, non plus, une raison de les abattre comme un vieux cheval qui n'est plus capable de rentrer le foin qu'il mange.

D'une part, les commissions scolaires se targuent d'administrer un budget global de 6,8 milliards de dollars par année. D'où leur importance. D'autres part, en novembre dernier, 60 % des commissaires ont été élus par acclamation. Le taux de participation n'est pas très élevé. Il se situe entre

129

15,8 %, à Montréal, comme par hasard (vu que Montréal est un village sans problèmes scolaires), et 38,2 % dans la Beauce (vu que les Beaucerons aiment les chicanes de piquets de clôture).

Étrange paradoxe. Un référendum sur un projet de quelques dizaines de milliers de dollars, dans une municipalité de cinq ou dix mille habitants, fait bouger proportionnellement deux ou trois fois plus de citoyens. Pourquoi ?

Réponse : pour beaucoup de citoyens, les commissions scolaires ne sont plus perçues comme l'instrument de prise en charge de l'école par la communauté locale, comme on l'a vu récemment à Batiscan et à Jonquière. La commission scolaire est considérée comme une bureaucratie de plus, et non pas comme un centre de décision respectable.

C'est encore les vieux qui votent en plus grand nombre, même à Montréal (*La Presse*, 21 novembre 1994). Ça se comprend : le vote avait lieu un dimanche ; les vieux se lèvent tôt, ils vont à la messe, les curés les avaient encouragés à aller voter, sans mentionner pour quelle « formation ». Il y a plus. Les vieux savent, sans se le dire en tous mots, que la démocratie est fragile, qu'il faut s'en occuper, qu'il faut y investir une petite demi-heure de temps en temps. Il y a plus encore : les vieux, en matière scolaire notamment, savent l'importance de l'école, parce que, dans leur temps, l'école était rare, donc sacrée. Ce n'était pas une question « *d'horizon démocratique* ». C'était le souci de porter son enfant plus haut qu'on n'avait été porté soi-même. Pour une bonne part, élever ses enfants, ça voulait dire les faire instruire le plus possible. Dans leur temps, on pensait qu'il valait mieux être instruits qu'ignorants. Point.

D'autres raisons expliquent la désaffection vis-à-vis des élections scolaires. Au bout du compte, ce sont, analogiquement, les mêmes raisons qui font que 38 % seulement des citoyens américains viennent de voter aux élections pour le Sénat et le Congrès. C'est simple : la démocratie, on se couche avec et on se lève avec. Jusqu'à temps que quelqu'un dise : « *Quand on aura fait la sécession, on pourra dire et écrire n'importe quoi, sauf qu'on est contre l'indépendance du Québec* ». Qui a écrit ça ? Pierre Bourgault. Où ? Dans *Le Devoir*, ou ailleurs, n'importe. Il faut bien gagner sa vie, comme disait le bourreau au pendu, qui lui reprochait sa corde et son absence de miséricorde.

En fait, dire que les commissions scolaires administrent un budget annuel de 6,8 milliards de dollars , c'est se payer de mots. Elles n'ont en réalité de pouvoir réel de décision que sur 3 % de leur budget. Elles ne font que gérer le reste selon des normes décidées ailleurs.

Le nouveau ministre de l'Éducation se pose lui-même des questions sur le rôle des commissions scolaires : « *Aux commissions scolaires qui réclament plus de pouvoir, le nouveau titulaire répond qu'il entend questionner leur rôle administratif. Nous avons un déficit de 5,5 milliards, on est cassés (sic). Qu'on le veuille ou non, va falloir poser des questions concernant le fonctionnement administratif du réseau d'éducation pour le rendre plus efficace et donner plus de marge de manœuvre sur le plan local* » (*Le Journal de Québec*, 20 novembre 1994).

Le leitmotiv du nouveau titulaire du ministère de l'Éducation semble bien être : *l'école d'abord*, en ce qui touche le réseau des écoles primaires et secondaires. Comment ne pas être d'accord ?

Supposons que M. Garon aille au bout de ses convictions et qu'il refile aux écoles la marge de manœuvre des commissions scolaires (3 %) : on ne pourrait pas dire qu'il aurait fait un bien grand pas, mais ce serait un mouvement dans la bonne direction. Et il aurait donné du poids à des questions importantes :

- Les commissions scolaires ont-elles encore un rôle à jouer ?

- Quel organisme héritera de l'imputabilité, même minimale, attribuée aux commissions scolaires actuelles ?
- Comment sera assurée la prise en charge de l'école par son milieu ?

On soulève assez souvent l'hypothèse de la municipalisation des immeubles scolaires. L'hypothèse ne nous sourit guère. On risque de passer rapidement des immeubles scolaires à la vie scolaire elle-même. L'organisation matérielle de l'école fait corps avec la préparation des cours, l'accueil des élèves, bref, le travail scolaire, autant celui des maîtres que celui des élèves. Or, la « culture municipale » étant ce qu'elle est, placer la *maison d'école,* comme on disait naguère, sous la coupe des administrateurs municipaux, n'irait pas sans risque. L'école deviendrait vite un centre des loisirs, et les besoins spécifiques de l'école auraient peu de chances d'être retenus comme prioritaires par les édiles qui pourraient toujours dire que l'école, c'est l'affaire du ministère de l'Éducation et non la leur.

Puis donc que les commissions scolaires sont déjà dans le collimateur du nouveau ministre, amorçons une réflexion à leur sujet. Les commissions scolaires ne sont pas nécessaires, absolument parlant ; en tout cas, elles ne le sont plus, même si elles furent le berceau de notre système scolaire public. Elles naquirent plus d'un siècle avant le ministère de l'Éducation qui questionne aujourd'hui leur utilité administrative. De ce point de vue restreint, il n'est pas difficile de démontrer que les écoles et les collèges autonomes se tirent très bien d'affaire sans elles. Ces institutions se passeraient d'ailleurs volontiers du ministère de l'Éducation lui-même, ce qui n'était pas l'opinion d'Aristote ni non plus la nôtre.

Ce sont plutôt les aspects sociaux de l'école et le caractère démocratique du système scolaire qui nous obligent à nous interroger sur la pertinence des gouvernements scolaires locaux.

Or, la crise existentielle des commissions scolaires n'a pas surgi subitement. Revoyons rapidement l'histoire de notre système scolaire aux niveaux primaire et secondaire. Au commencement fut la naissance de ce système enveloppé dans les langes d'une démocratie elle-même balbutiante, mais qui savait articuler le principe fondateur de toute démocratie : *no taxation without representation* et vice versa. La perception et l'allocation des deniers publics demeurent l'assise de toute société démocratique, et telle fut l'assise des commissions scolaires québécoises jusqu'à la Révolution tranquille.

Jusque là, la Loi de l'Instruction publique investissait les commissaires et les syndics d'école de pouvoirs et de responsabilités très étendus : de l'acquisition et de l'administration des biens scolaires, meubles et immeubles, jusqu'à l'inspection médicale des élèves et des écoles, en passant par l'embauche, le traitement du personnel enseignant et l'accessibilité à l'école des enfants de leur territoire. Une annexe du *Rapport Parent* montre bien que les commissaires et les syndics étaient les maîtres d'œuvre de l'organisation et de la transmission de l'enseignement pour leur « arrondissement ».

La réforme scolaire de la décennie 60 a d'abord ébranlé le fondement des commissions scolaires par la régionalisation. Les commissions scolaires régionales devenaient des créatures des commissions scolaires locales, mais des créatures lointaines, déracinées, porteuses de leur propre bureaucratie et de leur propre ambition. Le pouvoir, comme les gaz, tend toujours à occuper tout l'espace. Mais c'est sous le premier mandat du gouvernement de René Lévesque que le coup mortel a été porté, par le transfert aux municipalités de l'impôt foncier et la réduction du financement direct des commissions scolaires à 3 %.

Pourtant, la *Commission royale d'enquête sur l'enseignement* avait recommandé une évolution des choses bien différente de celle que la vie a imposée. Partant de la préoccupation centrale de leur rapport, soit « *le souci de donner à*

133

chacun la meilleure éducation possible », les auteurs concluaient à la nécessité d'une *« importante réforme du régime actuel des commissions scolaires »* (tome III, # 247). Ils en proposèrent un schéma détaillé qui voulait concilier des objectifs de démocratisation, d'efficacité administrative, de décentralisation et de rationalisation des diverses instances du nouveau système scolaire.

L'évolution sociale et politique des trente dernières années n'a retenu que peu de choses de cet édifice idéal, plutôt complexe et d'allure tout à fait cartésienne. Par exemple, le *Rapport Parent* préconisait des commissions scolaires uniques, c'est-à-dire responsables sur un territoire donné de toutes les écoles primaires et secondaires, sans considération de langues ou de croyances religieuses. Voyez, après trente ans, à quelle distance nous sommes encore de cette terre promise.

Même si elles ont été fort malmenées depuis trente ans, les commissions scolaires sont toujours là et ne semblent pas vouloir disparaître malgré *« l'apathie et une certaine impression d'impuissance qui ont prévalu jusqu'ici à l'égard des élections scolaires »*, comme le notait déjà le *Rapport Parent* (tome III, # 271). L'organisation et la tenue des récentes élections scolaires à Montréal n'ont rien fait pour périmer ce constat. Comment expliquer cet état de fait ? On peut avancer au moins les raisons suivantes :

- Les communautés locales tiennent à conserver leur droit de regard sur l'administration de leur école. Dans l'imaginaire des gens les plus concernés, c'est-à-dire les parents, école et commission scolaire semblent être des réalités indissolublement liées.
- On a beau vouloir remplacer cette vieille institution publique par un organisme mieux adapté à la société contemporaine, le consensus est loin d'être fait sur la nature et les caractéristiques d'une solution de rechange.

La Commission des écoles catholiques de Montréal a beau être devenue un « monstre bureaucratique », elle n'en conserve pas moins un poids politique considérable. La diversité des « clientèles » auxquelles elle doit assurer un traitement égal en font une entité à part, sans commune mesure avec les autres commissions scolaires. On pourrait fort bien la considérer comme un « réseau » en soi, l'ensemble des autres commissions scolaires constituant un second réseau beaucoup plus homogène, tout compte fait. On ne gagne rien à s'acharner, par esprit de système, à faire mijoter les deux réalités dans la même marmite.

En ce qui concerne les commissions scolaires, comment faire évoluer les choses au profit de l'école, au profit des élèves ?

- Il faut prendre le temps de lire correctement la situation présente et le passé récent du système scolaire. On verra alors, par exemple, que le Québec scolaire n'a rien de monolithique. Il évolue à des rythmes variés. Ainsi, la formation des commissions scolaires régionales, et le retour à des commissions scolaires intégrées.

- La réforme préconisée par le *Rapport Parent* se voulait évolutive, voire étapiste. Or, on l'a lancée partout en même temps, sur un modèle unique. Bien des dérapages auraient pu être évités si seulement on avait donné du temps au temps, c'est-à-dire de prendre le recul nécessaire pour préparer les virages à 90 degrés ; prendre ces virages un à un, mesurant toujours les bénéfices anticipés à l'aune des besoins pédagogiques fondamentaux de l'école.

- Enfin, il faudrait faire des élections scolaires des élections normales, c'est-à-dire en confier la préparation et le déroulement au directeur général des élections, au même titre que les autres scrutins populaires.

Les États généraux sur l'Éducation

Durant la campagne électorale de l'été dernier, le Parti québécois s'est engagé à convoquer des États généraux sur l'éducation. On en déjà eu. Pas plus loin en arrière qu'en 1986. Dans l'imaginaire politique, les États généraux sont le prélude d'une révolution. En réalité, ils risquent d'être un autre écran de fumée coûteux. Soit dit en passant, le plus modeste des États généraux ou autres colloques provinciaux/nationaux coûtent/ coûterait un bon deux millions de dollars flambant neufs. Mais, voulez-vous bien nous dire qui s'occupe encore de « millions ? »

Se pourrait-il que les États généraux annoncés dissimulent la clé des énigmes touchant le « questionnement » de Jean Garon vis-à-vis des commissions scolaires ? Combien d'astuces y a-t-il dans la poche marsupiale et régionale de *l'autre façon de gouverner ?* Nous ne serions pas autrement étonnés que lesdits États, tout généraux qu'on les proclame, ne débordent guère ce schéma, ne s'attaquant qu'à 3 % des problèmes (administrarifs) des écoles. Rien n'indique, en tout cas, qu'ils pourront entamer sérieusement les autres 97 %, chasse-gardée du ministère de l'Éducation et des conventions collectives.

Nous avons clairement indiqué que nous sommes contre la tenue de nouveaux États généraux sur l'éducation. Cependant, le nouveau gouvernement en a fait une promesse électorale, et le discours inaugural les annonce. On a beau détester février, on sort la pelle à neige.

Sur quoi pourraient bien porter les États généraux appréhendés ? Pour le bien, contre le mal ? Pour l'égalité des chances ? Contre le décrochage ? Il y a plus : dans sa volonté de « faire bouger les choses », M. Parizeau annonce que des mesures concrètes seront appliquées dès septembre 1995. Dès lors, de deux choses l'une ; l'autre, c'est le soleil, comme disait Prévert.

- Ou bien ces mesures sont déjà décidées, et alors il faut les annoncer et en débattre tout de suite.
- Ou bien il s'agit d'une autre « astuce ». Et le prestidigitateur en chef sort un lapin de son chapeau et cinq ou six mouchoirs arc-en-ciel.

Touchant les structures de l'école, on ne voit guère qu'un débat sur la nature, le rôle et le financement des commissions scolaires, qui pourrait apporter quelque profit. Quant à l'enseignement lui-même, c'est le secteur professionnel de niveau secondaire qui devrait faire partie de l'ordre du jour.

On est tout heureux que « *l'affreux Jacobin* » qui est maintenant au pouvoir se *soye* « *converti* » durant la dernière campagne électorale. On verra ! La fonction fait l'homme, comme les hautes feuilles des hauts arbres ont fait les longs cous des girafes, selon le lamarckisme, tout aussi dépassé que le « *finalisme* » de M. Berthelot ou le darwinisme de nous ne savons plus qui.

L'âge moyen du groupe que nous formons est de 66 ans. Quand nous sommes nés, notre espérance de vie à la naissance était d'environ 55 ans, statistiquement parlant. « *Le débile, comme le vieillard, est un produit de la civilisation* »[37] (Jean Rostand). D'accord ! Le mot « *civilisation* », comme le mot « démocratie » ne sont pas univoques. En tout cas, nous autres, on s'en doute.

Ainsi donc, l'âge où la civilisation nous a portés nous permet une certaine rétrospective sur les quatre dernières décennies. Celles que nous avons vécues dans notre âge présumément adulte. Notre âge moyen, disions-nous, nous permet, notamment, de ne pas faire commencer le monde environ aux alentours de 1960. Quand on a lu comment l'auteur du document de la Centrale de l'enseignement du Québec *règle* deux cents ans de l'histoire scolaire du Québec, on a le goût de

---

37. Jean Rostand, *L'homme*, coll. Idées, Gallimard, 1962.

proposer sa propre petite rétrospective. C'est ce que nous venons de faire, en fort peu de pages, on en conviendra.

Dans *Le Nouvel Observateur* du 14 septembre 1994, Edgar Morin écrit ceci, à propos de « L'affaire Mitterrand », du temps de l'Occupation : « *L'erreur, c'est de juger les hommes d'une époque comme s'ils étaient informés de tout ce que nous avons appris depuis* ». Transposez : « *Les enfants de Duplessis* ».

Quoi qu'il advienne de nos délicieuses considérations, quelles que soient les intentions cultes ou occultes du gouvernement en place, nous n'accuserons toutefois pas le peuple de l'allure que prendront les choses. Même si nous n'étions pas contents du peuple, en l'occurrence ou en d'autres, il y a cent vingt-sept ans ou trente ans, nous n'aurions pas les moyens de le limoger et de nous en élire un autre à notre goût. Rien ne prouve, rien n'a jamais prouvé, tout au long de l'histoire, qu'un homme (mettons Hitler, Mao ou Staline) en sache assez long sur l'homme et sur une société pour décider, et se donner les moyens, de s'en fabriquer une à son goût.

Mais nous disons, par exemple, que le gouvernement actuel est un gouvernement en début de mandat. C'est un gouvernement qui veut que ça bouge, croyons-nous avoir entendu et lu. En 1960, on a élu un gouvernement qui voulait que ça change. Ç'a changé ! Dans le miroir déformant de la rétrospection nostalgique, on est porté à s'en plaindre, mais enfin, qui voudrait retourner en 1960 en matière d'école, en matière de religion, en matière culturelle ?

Dans le système où nous sommes, c'est en début de mandat que l'on peut le mieux entreprendre des opérations délicates (comme disent les chirurgiens), à condition d'en avoir le courage et de persuader le patient que l'on possède aussi la compétence requise. Ni le courage ni la compétence ne sortiront des États généraux. « *Il n'y a que les universitaires et les bureaucrates pour s'imaginer que les choses commencent toujours par un comité.* »[38] En attendant « *des cieux nouveaux et une terre nouvelle* » (Ap 21, 1), c'est en appliquant des mesures périphériques que l'on a le plus de chances d'agir sur le fond des choses. Geler les droits de scolarité à l'université et retirer « le ticket modérateur » au collégial, c'est facile et c'est payant sur le marché électoral et référendaire. Imposer une heure d'étude quodienne, obligatoire pour tous les élèves du primaire et du secondaire, c'est plus *coton*.

Nous n'empilerons pas épilogue sur *post-scriptum*. Le fait est, cependant, que le premier des textes réunis dans ce volume a été publié le 2 décembre 1992. Nous sommes trois ans plus tard. Nous ajouterons donc quelques remarques de dernière heure sur les États généraux sur l'éducation et sur la réforme du niveau collégial.

Les États généraux comme stratégie de changement social

Elle sont toujours efficaces, les stratégies de changement appliquées par les pouvoirs politiques et tehnologiques, qu'il s'agisse d'États généraux ou de boîte vocale. Le bon petit citoyen ou le bon petit consommateur finit toujours par marcher. Qu'on le veuille ou non, États généraux il y a. Qu'on aime ou qu'on n'aime pas, y a plus moyen de téléphoner à du monde : on téléphone à des boîtes vocales.

Les projets de réforme lancés par la ministre Lucienne Robillard ont suscité des centaines de mémoires, une couple de commissions parlementaires, des rapports de sages ou de centrales syndicales.

Les États généraux sur l'éducation roulent déjà depuis plusieurs mois. Ils rameutent d'autres centaines de mémoires. Toujours preneurs, les bons petits citoyens ; toujours commentateurs, les braves éditorialistes. On « mémoire » la mer ; on

---

38. René Girard, *Quand ces choses commenceront*, Arléa, 1994.

139

commente le vent. Au bout du compte, qui sait ? Peut-être que tout ce remue-ménage, ce remue-méninges aura eu son utilité.

Les Québécois sont réputés pour leur goût de parler du temps qu'il fait, qu'il a fait, qu'il fera. Nous aimons aussi parler d'éducation. Certes, le sujet est toujours d'actualité. En fait, c'est le propos même de toute société. C'est la proposition même de toute société. Proposition, c'est-à-dire : « *L'action de faire connaître ses intentions* » *(Robert).* L'action de dire ce vers quoi l'on tend. C'est justement ce que les stratégies de changement ont pour mission d'occulter.

Il n'y a pas de pouvoir innocent. Que veut le pouvoir, n'importe lequel ? Il veut se répandre. Il veut occuper tout l'espace possible, comme un gaz. Cf. la « loi de Mariotte ».

Nous nous souvenons de notre lointaine condition d'écoliers. Elle ne fut ni misérable ni glorieuse. Nous voyons de nos yeux la condition actuelle des écoliers. Elle est meilleure que n'a été la nôtre, et elle est pire, non pas à cause de l'école, mais à cause de l'éclatement de la société provoqué par le progrès technique. Or, tout progrès se dévore lui-même, par définition. Il suffit de réfléchir sur le mot *progrès.* En un premier sens, *progrès* signifie que le pas numéro 4 conduit trente pouces plus loin que le pas numéro 3. Plus loin ou plus près de quoi ?

En un second sens, il ne peut y avoir de progrès que vers un but. Dites finalité, si vous préférez. Mais on a bien de la misère, à notre époque, d'assigner les finalités de l'éducation.

La fonction de l'école, de la maternelle au doctorat, c'est d'apprendre à lire. Lire quoi ? Des mots écrits, analysés, situés. « *Qui saurait sa langue saurait tout de l'homme* », disait Alain. Mais voilà : on sait sa langue un quart d'heure avant de mourir. C'est la raison pour laquelle il faut commencer le plus tôt possible à l'apprendre, à dépasser le lolo, caca, pipi, bobo et le t'sé veut dire.

Il n'est jamais totalement désespéré, celui qui peut se dire, lui-même à lui-même. « *Chacun vis-à-vis de soi se réduit à peu près à ce qu'il se dit, et ce qu'il se dit à ce qu'il sait se dire.*

140

Apprenez donc à vous parler à vous-mêmes avec les égards, la précision, la sincérité et la grâce dont est digne une jeune personne si précieuse. Du même coup, vous aurez appris à écrire » (Valéry, discours à des finissantes de lycée).

Celui qui se suicide, c'est celui qui désespère absolument de la parole. Pourquoi désespère-t-il à ce point ? Parce que confus, confondu, non écouté. Il se tourne donc contre lui-même en hommage suprême à sa grandeur. Les chiens ne se suicident pas.

La fonction de l'école, c'est d'apprendre au petit d'homme à se dire lui-même à lui-même, par le moyen de la mathématique, de la biologie, de la physique. Par le moyen surtout de sa langue. Un professeur de mathématique au niveau collégial donnait récemment un problème à ses élèves : il s'agissait de calculer le volume d'un socle. Le « problème » de ce problème, c'est que plusieurs élèves ne savaient pas ce que c'est qu'un socle. Les journaux venaient pourtant d'en parler abondamment à propos des trois bustes qui attendent leur socle dans un entrepôt. Justement, les Québécois lisent peu. Une enquête new-yorkaise récente, menée dans 73 pays, classe le Québec au 26e rang parmi les 28 pays riches faisant partie de l'enquête.

Le niveau collégial

Dans le chapitre intitulé : *La réforme des cégeps : un rendez-vous manqué,* nous avions exprimé nos réserves et nos critiques, mais nous prenions acte de la décision gouvernementale de conserver ce niveau d'études. Aujourd'hui, il nous paraît qu'il faut aller plus loin et envisager carrément la création de collèges universitaires.

Rappelons brièvement les inconvénients majeurs de l'organisation actuelle du niveau collégial, en ce qui a trait aux programmes préuniversitaires :

- durée trop brève pour permettre le développement d'un sentiment d'appartenance ;

- chevauchement des programmes avec le niveau secondaire et avec le niveau universitaire ;
- dispersion des programmes et formation « à la carte » ;
- calendrier scolaire trop court ;
- complexité et rigidité des horaires.

Il est utopique de penser que l'ensemble du système scolaire québécois, vieux de trente ans (durée considérable en notre époque de mutations profondes et accélérées), puisse se réformer de lui-même, États généraux ou pas. Ce qu'il faut, c'est la création de modèles nouveaux, de dimensions modestes, qui soient résolument axés sur l'élève. Certes, on a toujours prétendu que tel était le cas. Mais dans les faits, le système scolaire a été dérouté de sa destination normale, au profit de divers corporatismes, syndicaux, universitaires, bureaucratiques.

La situation du niveau collégial entre le niveau secondaire, d'une part, et le niveau universitaire, d'autre part, porte en elle-même la source des difficultés et des échecs que nous venons d'énumérer.

Les élèves inscrits dans les programmes dits « préuniversitaires »sont en transit dans les cégeps. C'est à l'université qu'ils se destinent Les problèmes de décrochage, de chevauchement de cours, de prolongation indue des études, de réorientations multiples, etc, ont déjà fait l'objet de nombreuses études, enquêtes, dénonciations. Il est en tout cas bien clair que les élèves, dans ces conditions, ne peuvent pas développer un quelconque sentiment d'appartenance envers le cégep. Mais surtout, et c'est bien plus grave, ils ne peuvent pas y acquérir une formation intellectuelle digne de ce nom.

Description du collège universitaire

L'organisation pédagogique du collège universitaire se caractériserait d'abord par l'établissement d'un continuum (inexistant actuellement) dans les études postsecondaires. Actuellement, l'enseignement général (par opposition à l'enseignement dit professionnel) n'est ni intégré à l'enseignement universitaire ni même harmonisé avec lui. Il s'ensuit des chevauchements coûteux et la plupart du temps inutiles pour les élèves. Et pire qu'inutiles : de nature à les dégoûter du travail intellectuel.

De plus, le système actuel fait porter à l'État, chaque année, les coûts d'une année/élève de trop, niveaux collégial et universitaire confondus, si l'on considère uniquement les élèves qui se rendent au terme du premier cycle universitaire. Mais l'inefficacité du système actuel génère bien d'autres coûts inutiles : 40 % des élèves ne terminent pas les études secondaires ; 40 % des élèves qui commencent des études au cégep ne les achèvent pas ; 50 % des étudiants inscrits au premier cycle universitaire ne vont pas jusqu'au diplôme.

Par contre, le collège universitaire que nous envisageons recevrait les élèves dès la fin du secondaire pour leur faire compléter des études de premier cycle universitaire. On peut alors concevoir un régime pédagogique où l'encadrement et le rythme des études seraient différents, à mesure que l'élève franchirait des étapes bien déterminées. L'ensemble, cependant, constituerait un tout organique et permettrait de susciter un sentiment d'appartenance favorable au travail intellectuel et à la construction de la personnalité. On peut prévoir une sanction des études après deux ans, du type Baccalauréat international.

Le diplôme de premier cycle universitaire serait obtenu après quatre ans, et aurait la même valeur que celui qui est décerné par les collèges universitaires nord-américains et les universités québécoises.

Schématiquement, voici comment se présenterait l'organisation des études :

- **durée** : 4 ans, soit 2 ans de propédeutique et deux ans de niveau universitaire ;

- **calendrier** : 3 sessions annuelles de treize semaines chacune ;
- **admission** : en février, les candidats sont soumis à un examen et à un test de classement d'admission préparé par le collège universitaire ;
- **sanction des études** : Après la 6ᵉ session, les élèves sont soumis aux examens en vue du diplôme d'études collégiales ou du Baccalauréat international.

Après la 12ᵉ session, les élèves sont soumis aux examens en vue d'un Baccalauréat de premier cycle universitaire. La reconnaissance universitaire du diplôme pourrait se faire en vertu d'une entente analogue à celle dont bénéficiaient les candidats « extra-collégiaux » inscrits aux Baccalauréat ès Arts durant les années 50.

Organisation des études

Durant la période de transition d'une durée de deux ans, les élèves seraient inscrits soit aux programmes conduisant au diplôme d'études collégiales, soit aux programmes conduisant au Baccalauréat international. Durant cette période, les élèves les plus faibles à l'examen d'admission ou aux examens de fin de cycle pourraient s'inscrire à une session de mise à niveau ou à une session de reprise.

Par la suite, le collège universitaire n'offrirait plus que des programmes de propédeutique.

Le nombre de programmes (ou de profils) seraient réduits à deux.

Note : Dans le système actuel, l'élève obtient (théoriquement) son diplôme de premier cycle universitaire à l'âge de 22 ans. Dans le projet du collège universitaire, il l'obtiendrait à l'âge de 21 ans.

Administration

Nous n'indiquons ici que les traits distinctifs du collège universitaire tel que nous l'envisageons.

En ce qui a trait à **l'administration générale,** le collège universitaire serait administré par un conseil d'administration composé de 9 ou 10 personnes, dont la majorité seraient des personnes extérieures au collège.

Ce conseil possède une autonomie réelle que devrait lui assurer un mode de financement diversifié et des pouvoirs aussi étendus que ceux que détiennent présentement les universités.

En ce qui a trait à la **gestion pédagogique,** les professeurs seraient regroupés par programmes. Pour l'essentiel, leur tâche en est une d'enseignement et d'encadrement des étudiants.

Un bon encadrement des étudiants passe par un aménagement rationnel du temps : temps d'enseignement, temps d'étude, temps de consultation, temps pour le travail personnel.

Or, on sait que le calendrier scolaire du cégep actuel a été négocié d'abord pour assurer le bien-être, voire le confort, des *travailleurs de l'enseignement.* Il en est résulté des calendriers bouffons, maquillés par les chiffres officiels, bureaucratisés, consolateurs des clercs de la postmodernité. Les clercs des années 40 calculaient le nombre des membres des Ligues du Sacré-Cœur à partir du nombre de pères de famille. Les bureaucrates additionnent les jours de *semaine de lecture,* les journées pédagogiques, les journées d'organisation des deux rentrées annuelles pour obtenir le nombre de jours du calendrier officiel.

Pour le collège universitaire, nous proposons un calendrier scolaire divisé en trimestre, mais en désignant les choses par leur nom : un trimestre, c'est 52÷4, soit 13 semaines.

Les quatre années du collège universitaire compteraient donc 12 trimestres, soit 156 semaines de cours et d'examens. Le cégep actuel (d'une durée de deux ans pour les programmes pré-universitaires) compte *officiellement* 30 semaines par année. *En réalité,* il en compte 28 (Cf. notre tableau, p. 17).

145

Le calendrier scolaire du collège universitaire que nous proposons compterait 39 semaines.

Notre *credo* pédagogique

- Ce sont les bons maîtres qui font les bonnes écoles.
- L'école est avant tout un instrument de transmissions des savoirs.
- L'école doit être exigeante.

Les Éditions LOGIQUES

INFORMATIQUE

Informatique (général)

LX-260 Internet: guide de survie de l'internaute
LX-292 Internet: guide d'exploration de l'internaute
LX-380 Le Guide Internet 1996
LX-351 Windows 95: Créez des interfaces gagnantes
LX-016 Vivre du logiciel

Informatique / L'informatique simplifiée

LX-315 Access 2.0 Windows simplifié
LX-192 Clarisworks Macintosh simplifié
LX-073 CorelDraw Windows simplifié
LX-037 DBase IV DOS simplifié
LX-025 L'Écrivain public DOS simplifié
LX-284 Excel 5.0 Windows simplifié
LX-149 Excel 4.0 Windows simplifié
LX-194 Excel 4.0 Macintosh simplifié
LX-294 Lotus 1-2-3 V. 5.0 simple et rapide
LX-113 Lotus 1-2-3 V. 2.4 simple et rapide
LX-110 Lotus 1-2-3 V. 2.4 avancé
LX-027 Lotus 1-2-3 V. 2.2 simple et rapide
LX-013 Macintosh simplifié
LX-228 MS-DOS 6.2 simplifié
LX-189 MS-DOS 6.0 simplifié
LX-036 MS-DOS 5.0 simplifié
LX-102 MS-DOS 5.0 simplifié, format pratique
LX-030 MS-DOS 3.3 et 4.01 simplifié
LX-153 Norton Utilities simplifié & antivirus
LX-044 L'ordinateur simplifié
LX-049 Pagemaker 4 simplifié Mac
LX-024 Pagemaker 3 simplifié Mac
LX-008 Pagemaker 3 simplifié IBM
LX-094 Système 7 et 7.1 simplifié
LX-356 Windows 95 simplifié
LX-129 Windows 3.1 simplifié
LX-048 Windows 3 simplifié
LX-103 Windows 3 simplifié format pratique
LX-295 Word 6.0 Mac simplifié
LX-188 Word 5.1 Mac simplifié
LX-028 Word 4.0 Mac simplifié
LX-035 Word 5.0 DOS simple et rapide

LX-313 WordPerfect 6.1 Windows simple et rapide
LX-265 WordPerfect 6.0 Windows simple et rapide
LX-312 WordPerfect 6.1 Windows simplifié
LX-222 WordPerfect 6.0 Windows simplifié
LX-072 WordPerfect 5.1 Windows simplifié
LX-213 WordPerfect 6.0 DOS simple et rapide
LX-058 WordPerfect 5.1 DOS simple et rapide (Les exercices)
LX-057 WordPerfect 5.1 DOS simple et rapide
LX-053 WordPerfect 5.1 DOS simplifié
LX-042 WordPerfect 5.1 DOS avancé
LX-020 WordPerfect 5.1 DOS simplifié ang.
LX-104 WordPerfect 5.1 DOS simplifié format pratique
LX-023 WordPerfect 5.0 DOS simple et rapide
LX-022 WordPerfect 4.2 DOS simple et rapide
LX-093 WordPerfect 2.1 Macintosh simplifié

Informatique / Les Incontournables

LX-085 L'Incontournable Lotus 1-2-3
LX-087 L'Incontournable MS-DOS
LX-148 L'Incontournable Système 7
LX-092 L'Incontournabble Windows 3.1
LX-193 L'Incontournable Word 5.1 Mac
LX-086 L'Incontournable Wordperfect 5.1
LX-195 L'Incontournable Wordperfect 6.0
LX-150 L'Incontournable Word pour Windows

Informatique / Les Notes de cours

LX-216 Excel 4.0 Windows, fonctions de base
LX-277 Excel 5.0 Windows, fonctions de base
LX-259 Excel 5.0 Windows, fonctions intermédiaires
LX-270 Filemaker Pro 2 Mac, fonctions de base
LX-172 Harvard Graphics 1.02, fonctions de base

LX-271 Illustrator Mac, fonctions de base
LX-271 Illustrator Mac, fonctions intermédiaires
LX-372 Internet, fonctions de base
LX-330 Lotus 1-2-3 v. 5 Windows, fonctions de base
LX-321 Lotus 1-2-3 v. 5 Windows, fonctions intermédiaires
LX-214 Lotus 1-2-3 v. 4 Windows, fonctions de base
LX-243 Lotus 1-2-3 v. 4 Windows, fonctions intermédiaire
LX-190 Lotus 1-2-3 v. 1.1 Windows, fonctions de base
LX-167 MS-DOS 6.0, fonctions de base
LX-279 PageMaker Win Mac, fonctions de base
LX-317 PageMaker, Win Mac, fonctions intermédiaire
LX-300 Photoshop 3.0 Mac, fonctions de base
LX-280 PowerPoint 4.0 Win Mac, fonctions de base
LX-273 QuarkXpress Mac, fonctions de base
LX-161 Système 7 Macintosh, fonctions de base
LX-173 Windows 3.1, fonctions de base
LX-363 Windows 95, fonctions de base
LX-235 Word 6.0 Windows, fonctions de base
LX-242 Word 6.0 Windows, fonctions intermédiaires
LX-159 Word 2.0 pour Windows, fonctions de base
LX-160 Word 2.0 pour Windows, fonctions intermédiaires
LX-197 Word 5.1 Macintosh, fonctions de base
LX-198 Word 5.1 Macintosh, fonctions intermédiaires
LX-334 WordPerfect 6.1 Windows, fonctions de base
LX-335 WordPerfect 6.1 Windows, fonctions intermédiaires
LX-256 WordPerfect 6.0 Windows, fonctions intermédiaires
LX-241 WordPerfect 6.0 Windows, fonctions de base
LX-116 WordPerfect 5.0 Windows, fonctions de base

LX-117 WordPerfect 5.0 Windows, fonctions intermédiaires
LX-215 WordPerfect 6.0 DOS, fonctions de base
LX-236 WordPerfect 6.0 DOS, fonctions intermédiaires
LX-145 WordPerfect 5.1 DOS fonctions de base
LX-146 WordPerfect 5.1 DOS fonctions intermédiaires
LX-151 WordPerfect 5.1 DOS, fonctions avancées

Informatique / L'informatique nouvelle vague

LX-414 Internet
LX-408 Amipro Windows 3.0
LX-415 CorelDraw Windows
LX-412 Excel 5.0 Windows
LX-404 Lotus 1-2-3 Windows 4.0
LX-409 MS-Works Windows 3.0
LX-402 Quattro ProWindows 5.0
LX-400 Word Windows 6.0
LX-403 WordPerfect Windows 6.0
LX-405 TOP 10 DOS
LX-410 Quicken version 7 DOS
LX-407 TOP 10 Macintosh

LITTÉRATURE GÉNÉRALE

Littérature générale / Santé

LX-342 Le guide de pharmacologie psychiatrique
LX-162 La fatigue chronique: 50 vérité cachées
LX-169 La santé intime des femmes

Littérature générale / Psychologie

LX-348 L'art de garder son cerveau en forme à la retraite
LX-344 Les gens qui en font trop
LX-199 Les hommes viennent de Mars, les femmes viennent de Vénus
LX-239 Le parent entraîneur
LX-252 Les quatre clés de l'équilibre personnel

Littérature générale / Business

LX-339 Changer d'emploi, c'est changer de vie

LX-293 Comment investir votre argent et planifier votre retraite
LX-361 Comment investir votre argent et planifier votre retraite — 1996
LX-347 L'enjeu du REÉR... en 18 trous
LX-316 Mon premier emploi
LX-261 Ne prenez pas votre patron pour votre mère
LX-349 Sauvez-vous avec votre argent... et partez à l'aventure

Littérature générale / Ésotérisme

LX-154 Astro-Séduction

Littérature générale / Plaisirs

LX-071 La cuisine de tous les jours
LX-076 Cuisine Séduction
LX-069 La cuisine Week-ends
LX-181 Fais-le saigner!
LX-184 Les fines herbes: des semis aux bons bons petits plats
LX-115 Le guide des plaisirs érotiques et sensuels du Dʳ Ruth
LX-357 Le guide laser de la musique classique
LX-127 Mon chat mode d'emploi
LX-125 Mon chien mode d'emploi
LX-340 Les recettes de Madame Curé
LX-133 Urgence-chat
LX-119 Urgence-chien

Littérature générale / Religion

LX-134 Au fil des jours
LX-165 Découvrir l'Évangile sans se tromper
LX-310 Les Dieux du sport
LX-255 Histoire de ma vie (Chantal Pary)
LX-186 Témoignages de détenus

Littérature générale / Humour

LX-369 Agenda SAFARIR 96
LX-156 Comme disait Confucius...
LX-157 Ne riez pas ça pourrait être votre voisin!
LX-211 Ne riez pas, votre voisin est devenu fou!
LX-264 Ne riez pas, votre voisin souffre du SPM
LX-180 Et si les poules avaient des dents?
LX-237 Si tu m'aimes, baisse le siège!

Littérature générale / Humour / Bandes dessinées

LX-147 Bungalopolis
LX-205 On a marché sur mon gazon
LX-257 Vive la nature!

SOCIÉTÉS – ÉDUCATION – LIVRES DE RÉFÉRENCE

Sociétés

LX-034 L'abus sexuel – L'Intervention
LX-152 La créativité des aînés
LX-114 La créativité des enfants
LX-144 Le décrochage
LX-080 Divorcer sans tout briser
LX-077 Femmes et pouvoir
LX-052 Ils jouent au Nintendo...
LX-191 Pour un service de garde de qualité
LX-046 La relation d'aide
LX-047 Le suicide
LX-009 La violence à l'école

Sociétés / Mieux vivre

LX-297 L'abus sexuel – Prévenir la récidive
LX-318 Le deuil – Une souffrance à comprendre pour mieux intervenir
LX-304 Le sida – Accompagner une personne atteinte

Livres de références

LX-238 C'est un garçon! C'est une fille!
LX-229 Le nouveau code civil et vous

Dictionnaires

LX-258 Le dictionnaire de l'ornement
LX-075 Le dictionnaire pratique de l'éditique
LX-067 Le dictionnaire pratique des expressions québécoises
LX-120 Le vocabulaire des adolescents (es) du Québec

Écoles / Manuels

LX-033 Apprendre la comptabilité avec Bedford- 2
LX-095 Apprendre la comptabilité avec Bedford-1
LX-041 Apprendre la dactylographie avec WordPerfect

LX-043 Apprendre le traitement de texte avec l'Écrivain public
LX-066 Apprendre le traitement de texte avec WordPerfect
LX-249 Harmonie-Jazz
LX-006 Pervenche–exercices de grammaire

Écoles / Formation des maîtres

LX-097 Devenir enseignant–Tome, 1 À la conquête de l'identité professionnelle
LX-098 Devenir enseignant–Tome 2, D'une expérience de survie à la maîtrise d'une pratique professionnelle
LX-131 Le praticien réfléxif
LX-175 La supervision pédagogique
LX-282 Le tournant réflexif

Écoles / Théories et pratiques dans l'enseignement

LX-209 L'abandon scolaire
LX-219 Aides informatisées à l'écriture
LX-263 L'alphabétisation
LX-332 Analphabète ou allographe?
LX-204 Apprendre dans un environnement pédagogique informatisé
LX-353 À quand l'enseignement?
LX-291 Le corps enseignant du Québec de 1845 à 1992
LX-200 Des outils pour apprendre avec l'ordinateur
LX-240 L'éducation et les musées
LX-207 Éducation intégrée à la communauté en déficience intellectuelle
LX-262 L'enseignant et la gestion de la classe
LX-266 Enseigner le français (AQPF)
LX-109 Évaluer le savoir-lire
LX-174 L'éveil de l'apprentissage/ Québec français
LX-029 Les fables informatiques
LX-333 Faire du théâtre dès 5 ans
LX-218 La famille et l'éducation de l'enfant
LX-089 La formation du jugement
LX-040 La formation fondamentale
LX-108 La gestion disciplinaire de la classe
LX-308 L'intelligence du *Petit Robert*

LX-296 J'apprends à lire… aidez-moi!
LX-327 Le jeu éducatif
LX-326 Le jeu ludique
LX-328 Le jeu pédagogique
LX-323 Jeunes délinquants, jeunes violents (Parents)
LX-081 La lecture et l'écriture
LX-054 Lectures plurielles
LX-322 Liberté sans limites (Enfants)
LX-233 Matériaux fragmentaires pour une histoire de l'UQAM
LX-112 Modèles de changement planifié en éducation
LX-202 Oméga et la communication (Professeurs)
LX-203 Oméga et les problèmes de communication (Parents)
LX-015 Ordinateur, enseignement et apprentissage
LX-325 Pédagogie du jeu
LX-221 La pensée et les émotions en mathématiques
LX-074 La philosophie et les enfants
LX-107 Le plaisir de questionner en classe de français
LX-201 La planète d'Oméga (Enfants)
LX-068 Pour un enseignement stratégique
LX-341 Pour un nouvel enseignement de la grammaire
LX-234 Les processus mentaux et les émotions dans l'apprentissage
LX-301 La production de textes
LX-121 Question d'identité
LX-267 La recherche en éducation
LX-056 Le roman d'amour à l'école
LX-088 Le savoir des enseignants
LX-320 Savoir, penser et agir
LX-090 La solitude des autres
LX-118 Tranches de savoir
LX-324 Violence et délinquance en milieu scolaire (Professeurs)

Écoles / Théories et pratiques dans l'enseignement / Enseignement universitaire

LX-290 Coordonner et planifier les enseignements

ENFANTS – FICTION – ROMANS

Enfants

LX-014 Zoé à la garderie
LX-079 Zoé en automobile

Science-fiction

LX-158 L'année de la S.F. et du fantastique 1990
LX-247 L'année de la S.F. et du fantastique 1991
LX-018 Berlin-Bangkok
LX-017 C.I.N.Q.
LX-045 Demain l'avenir
LX-007 Dérives 5
LX-055 Étrangers!

LX-011 Les gellules utopiques
LX-039 Les maisons de cristal
LX-010 SF: 10 années de science-fiction québécoise
LX-059 Sol
LX-032 La ville oasis
LX-019 Vivre en beauté

Romans, nouvelles et récits

LX-231 Les bouquets de noces
LX-246 Femme.. enfin!
LX-217 Les frincekanoks
LX-070 Histoires cruelles et lamentables
LX-126 Les parapluies du Diable
LX-354 Noëls, autos et cantiques

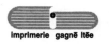

imprimerie gagné ltée

IMPRIMÉ AU CANADA